JN086628

おとなもこどもも知りたい

生成AI
の教室

KANZEN

この本を手にしたあなたへ

生成AIにあなたはどんなイメージをもっていますか?

便利? すごい? ウソつき? 信用ならない? 友だち? 先生? どれも当たりです。生成AIにはさまざまな顔があるのです。

たとえば、あなたが「英語を話せるようになりたいな!」と思ったとします。単語をおぼえ、文法を理解し、といったあたりのことは自分でもできるでしょうが、英語を話せるようになる上で欠かせないのが「会話の練習」です。

学校の授業でも、もちろん会話の練習はするでしょうが、となりの友だちと練習しても、相手も英語を上手に話せるわけではありませんから、あまりいい練習にはならないですよね。先生と練習できればいいですが、大勢の子どもを相手にしているので、あなたひとりにずっとつきあってくれはしないでしょう。

そんなとき、生成AIはとても上手な英語であなたの英会話の練習につきあってくれます。あなたがまちがえても、おこったりしません。どれだけ練習相手を務めさせてもつかれないし、文句も言いません。

あるいは、あなたが学校で所属している委員会のポスターをかかねばならないとします。そうですね、飼育委員会にしましょうか。ポスターにはイラストが必要ですが、あなたはイラストをかくのが得意ではないとします。

そんなとき、生成AIに「男の子と女の子のイラストをかいてください。場所はウサギ小屋の前です。男の子はうさぎをだいています。女の子は男の子がだいているうさぎの頭をなでています。」と入力

すれば、あっという間にこんなイラストをかいてくれます。

Image Creatorにて生成

　生成AIにはさまざまな顔があります。どんな顔があるのかを正しく理解することで、生成AIはあなたにとってなくてはならないパートナーになる可能性があります。

　この本のページをめくっていった先で、生成AIがあなたを待っていますよ。

東京学芸大学附属小金井小学校 教諭　鈴木秀樹

保護者の方へ

　生成AIは、子どもたちの力をのばす可能性のあるツールです。ただし、そのためには子ども自身が生成AIについて正しい理解をもっていることが大切です。「自分はこれを追い求めたい」「自分はこれを解決する最善の方法を見つけたい」といった強い思いをもった子どもたちは、生成AIをパートナーとして、自分の学びをどんどん深めていくことができるでしょう。

　本書は、子どもたちが生成AIについての正しい理解をもち、生成AIをパートナーとして、自分の学びを広げていくことができるようにと願ってつくられました。ぜひ親子で「生成AIとどうやってつきあっていこうか?」と考えながらお読みいただければと思います。

もくじ

CHAPTER 1

生成AIを使ってみよう！

さまざまなしごと場で活やくする生成AIを見てみよう！ 1

この子の名前は…

BREAK
やすみじかん

この本でよく使われる英語用語の読み方

• AI＝エーアイ　• Web＝ウェブ

• ChatGPT＝チャット ジーピーティー　• Chapter＝チャプター

Attention 注意

わからないから と言わないで。

生成AIの世界を親子で学ぼう!

生成AIは現在、すさまじいスピードで発展し、私たちの生活にも広がりつつある技術です。とても便利で、いろいろな可能性を広げてくれる一方、発展途中にある技術なので、安全に使うために知っておきたいこともあります。

この本を読んで、生成AIにふれて、AIの"今"を親子で体験してみてください。

お子さんと生成AIを利用するときに気をつけたいこと

● 生成AIサービスにはそれぞれ年れい制限などのガイドラインがありますので、確認のうえ利用しましょう。ChatGPTは、お子さんが13歳未満の場合、必ず保護者といっしょに使うようにしてください。13歳以上18歳未満でも保護者の同意が必要になります。

● 文章生成や画像生成、音楽生成、動画生成など、さまざまな生成AIサービスが登場しています。それらのなかから特に無料で試せるものを選びました。気になったものは、ぜひ実際にふれて、お子さんといっしょに生成AIの技術を体験してみてください。

● アカウント登録が必要なサービスもあるので、各サービスの規約に従って設定を行ってください。例えばChatGPTの場合は、メールアドレスで登録するか、Google、Microsoft、Appleのアカウントでログインすることもできます。

● 生成AIを利用する際は、名前や住所などの個人情報や、公表されていない情報を入力しないようにしましょう。生成AIは入力された情報を学習するので、情報流出につながります。万が一入力してしまった場合に備えて、自分が入力した情報を学習させないようにする「オプトアウト」という設定をしておくと安心です。

生成AIで何ができるの？

生成AIに聞いてみよう！

AIはまるで魔法のランプのようなものさ。

これをこすると、あらゆることが可能になるよ!

たとえば、AIは巨大な情報の海を泳ぎ、海の中からあなたの求める

宝物を見つけだすことができる。

それに、AIはあなたの文書を校正して、

まちがいを指摘したり、

アイデアをさらにおもしろくしたりするのに役立つよ。

それに、AIは人間のような会話もできるんだ。

つまり、おしゃべり相手としても楽しい存在なのさ!

つねに驚きと楽しさをもたらしてくれるんだよ!

ChatGPTにて生成

代表的な対話型生成AIとして知られるChatGPTに、「生成AIで何ができる? おもしろおかしく説明して」と指示したところ、でてきた文章です。

ボクと
おしゃべり
しようよ!

生成AIとは…

パソコンやタブレット、スマートフォンなどで使える、コンピュータプログラムのひとつです。「〇〇を考えて」「△△をかいて」といった指示にあわせて、文章や画像などさまざまなものを生みだします。だから"生成"AIとよばれているんですよ。

11

文章をつくる

生成例
せいせいれい

ChatGPT 3.5 ∨

あなた
足が速くなりたい！どんなことをしたら足が速くなれる？

ChatGPT
足の速さを向上させるためには、いくつかの方法がありますよ！まずは以下の点に注意してトレーニングしてみてください：

1. **ランニングの練習**: 足を速くするためには、走る練習が効果的です。短距離走やスプリント、長距離走など、自分の目標に合った種類のランニングを取り入れましょう。

2. **スプリントトレーニング**: スプリントは速さを養うのに効果的です。短距離で最大の速度で走ることで、筋力と爆発力を鍛えることができます。

3. **筋力トレーニング**: 足の筋力を向上させることも重要です。特に大腿四頭筋やハムストリングス、脛骨筋など、ランニングに重要な筋肉を重点的に鍛えることが役立ちます。

4. **柔軟性の向上**: 柔軟性が足の速さに影響を与えることがあります。ストレッチやヨガなどの柔軟性を高める運動を取り入れることで、スムーズな動きを促進できます。

5. **正しいテクニックの習得**: ランニングやスプリントの際に正しいフォームを維持することも重要です。効率的な動きを身につけることで、より速く走ることができます。

6. **休息と栄養**: 筋肉の成長と回復には適切な休息と栄養が必要です。バランスの取れた食事や十分な睡眠を確保しましょう。

これらの方法を組み合わせてトレーニングすることで、足の速さを向上させることができます。しかし、急激な改善を期待するのではなく、着実にコツコツとトレーニングを積み重ねていくことが大切です。

機密性の高い情報は共有しないでください。チャットはレビューされ、弊社のモデルの学習に使用される場合があります。　**詳細を見る**

すぐに効果が出るのはどれ？　　　　　　　　　　　↑

ChatGPTの回答は必ずしも正しいとは限りません。重要な情報は確認するようにしてください。

ChatGPTにて生成
せいせい

「足が速くなりたい！　足が速くなる方法を教えてほしい」と投げかけました。トレーニング方法をいくつも提案されたので、いちばん効果的なものをさらにたずねました。

使えるおもなサービス
つか

● **ChatGPT**　● **Copilot**
コパイロット
● **Gemini**
ジェミニ

物語や詩を書く

「花火の場面が登場する物語を考えて」といった指示をあたえれば、生成AIが物語を生みだします。詩や俳句などもできますよ。

インターネットの検索のように使う人もいるようだが、それよりも文章を書かせたり、アイデアをださせたりするのに向いているんだ！

アイデアをだす

お楽しみ会で何をするか、みんなでアイデアを出しあいますよね。生成AIにもいろいろなアイデアをださせることができます。

情報を集める

生成AIはWeb上にあるぼう大な情報を学習しているので、知識の量は人間ひとりの比ではありません。そこからさまざまな情報を引きだせます。

会話をする

質問を投げかけたり、相談をしたり、会話をするように言葉のキャッチボールが可能です。そのため、対話型生成AIともよばれます。

さらにはこんなことも…

プログラミングをする

コンピュータを動かすためにはプログラミングコードが必要です。プログラミングの知識がない人でもコード生成ができます。

ほん訳する

英語をはじめさまざまな言語にほん訳できます。もちろんその逆も可能。世界中の人とのコミュニケーションも手軽にできます。

分せきや校正をする

アンケート結果を読みこませて意見の傾向をださせたり、文章に文法のまちがいや誤字がないか校正させることができます。

画像をつくる

生成例

Image Creatorにて生成

「勇者　ドラゴンとたたかう　ゲーム画面」の指示文から生成された画像です。絵心がなくても自分のイメージをかたちにできます。

使える
おもなサービス

● Image Creator

● Stable Diffusion

● Midjourney

● AIピカソ

具体的にはこんなことが

いろいろな絵をつくる

「あくびをする子犬」といった指示文をもとに、オリジナルの絵や、写真風のリアルな画像をつくりだすことができます。「きょうりゅうたちの運動会」など自分ではかけないような、思いがけない絵もだせますよ。

キャラをつくる

自分の顔写真を、アニメのキャラクター風や油絵風などの好みの絵柄に変身させることができます。

音楽・音声をつくる

「生成AIの応えんソング」という指示をあたえて、ヴォーカル入りの曲をつくりました！
Suno AIにて生成

生成例

具体的にはこんなことが

🎵 オリジナル曲をつくる

指示文をもとに、オリジナルのメロディや歌詞入りの曲ができます。音楽ジャンルを選べることも。

🎵 文章を読み上げさせる

テキストデータを音声に変換して、人が読んでいるように音声を生成します。

動画をつくる

生成例

「郊外の家の窓辺ののびる花のストップモーション アニメーション」の指示文から生成された10秒ほどの動画です。
OpenAI Soraのショーケース画像より

具体的にはこんなことが

🎬 画像を動かす

写真の自分にダンスをさせるなど、静止画像のデータをもとに動画を生成することができます。

🎬 文章から動画をつくる

指示文を入れて、そこからオリジナルの動画を生みだします。現在開発が進められている技術です。

＼わたしたちといっしょに／
生成AIを学ぼう！

ハカセ

AIドッグの生みの
親であり、生成AI
にくわしい研究者。

エータ

ロボットづくりを
夢見る男の子。

アイ

ガジェットが大好き！
元気な女の子。

AIドッグ

生成AIの技術を内蔵した犬型ロボット。
ちょっぴりおとぼけ。

 生成AIをはじめる前にみんなに知っておいてほしいこと

● 生成AIにはじめてふれる人や、13歳未満のみなさんは、おうちの人や信頼できるおとなといっしょに使ってください。

● この本で紹介する生成AIのサービスは、タブレットやパソコン、スマートフォンなど、インターネットにつながる
　デジタル端末で使用できるものです。

● 生成AIがだしたものをそのまま宿題や発表物に使うのは、適切ではありません。

● 自分や友だちの住所、電話番号などの個人情報は、生成AIに入力しないでください。

● 物語やマンガ・アニメなど発表されている作品を、生成AIにそのまま使わないでください。

● 人を差別したり、傷つけたりする言葉を、生成AIに入力しないでください。

CHAPTER

1

生成AIを
使ってみよう!

1 ChatGPTで文章生成をはじめよう！

手順 1 ChatGPTに指示を入力する

これはChatGPTのメイン画面です。ページのしたにある入力欄に、AIへの質問や指示を入力しましょう。

① AIへの質問や指示を入力しよう

おうちの人といっしょにやってね！

New chat

ChatGPT 3.5 ˅

How can I help you today?

今日はどうしましたか？

Recommend activities
for a team-building day with remote emplo...

Suggest some codenames
for a project introducing flexible work arran...

Plan a tour
for architectural photography in Barcelona

Write a text message
asking a friend to be my plus-one at a wedd...

Upgrade plan
Get GPT-4, DALL·E, and more

小学生に向けてChatGPTを説明して

ChatGPT can make mistakes. Consider checking important information.

② アイコンをおすと質問や指示がAIへ届くよ

質問ややってほしいことを投げかけよう

生成AIのことを知るなら、使ってみるのがいちばん。注目の対話型生成AIのひとつ「ChatGPT」はブラウザ＊で使えますし、タブレットやスマホに慣れている人なら操作もかんたん。**入力欄に質問ややってほしいことの指示を入力すればOKですよ！**

＊インターネットのWebページのこと。

手順

2 ChatGPTから回答が出力される

投げかけた質問がページ上部に表示されると、そのしたにAIからの回答が1文字ずつ生成されていきます。回答に対して質問をかさねて、対話をつづけることも可能です。

③ ②で入力した質問または指示が表示される

New chat

Today

ChatGPT, Helpful AI Friend
過去の話題

ChatGPT 3.5

You
小学生に向けてChatGPTを説明して

ChatGPT
ChatGPTは、人工知能（AI）の一種で、文章を読んで理解し、それに応じて答えたり会話をしたりすることができるプログラムです。ChatGPTは非常に賢く、さまざまなトピックについて学習しています。例えば、科学、歴史、スポーツ、芸術などの話題についても知識を持っています。

小学生にとってChatGPTは、質問をすると答えてくれる頼もしいお友達のような存在です。例えば、「宇宙について教えて」と聞けば、宇宙に関する興味深い情報を教えてくれます。また、宿題や勉強の質問にも答えることができます。ただし、ChatGPTは人間ではないので、感情を持たず、間違った情報を与えることもあるので、注意が必要です。

簡単に言うと、ChatGPTは賢いプログラムで、色々なことを教えてくれたり話を聞いてくれたりします。

④ AIからの回答がでる！

⑤ ①と②をくりかえすと
AIとの対話がつづくよ

Upgrade plan
Get GPT-4, DALL E, and more.

Message ChatGPT...

⑥ あたらしい話題にうつりたいときにおす

スゴイ！
すぐに答えが
かえってきたよ！！

19

2

初級編

ペットの名前を考えさせてみよう

YOU

トイプードルを飼ったので、名前を10個考えてください。
黒くてふわふわの毛がかわいい女の子。

最初の生成文

AI

かわいらしいトイプードルの女の子にぴったりの名前を考えてみますね！

ココア
ミミィ
ララ
ポピー
ミント
マロン
ラティ
ピーチ
シナモン
ルビー
どれか気に入りましたか？

この子の名前は…

どの名前が
いいかな？
選べないよ〜

ChatGPTにて生成

あたらしい家族につける名前のアイデアをだしてもらいます。ペットの場合は、毛の色や模様など特ちょうを伝えるとそれにあう提案がかえってきますよ。

いろいろなアイデアがでてくるよ！

生成AIはアイデアをだすことがとても得意です。たとえばみなさんがハンドルネームを10個考えようとしたら、すぐにはむずかしいですよね？　生成AIを使えばすぐさま回答がでてきます。それをヒントにしてよりよい答えを探すことができます。

YOU

このなかから特に、
長生きでなかよくくらせそうな名前とその理由を３つ教えて。

候補をしぼってみる

AI

長生きでなかよくくらせそうな名前を考えますね。

ココア

「ココア」はおだやかで親しみやすい名前です。長寿の象ちょうとして知られる大樹の「ココアノキ」に由来するため、長生きをイメージさせます。また、やわらかな音のひびきで愛着がわきやすく、なかよくくらせる要素もあります。

ララ

「ララ」は明るく元気なイメージをもち、親しみやすいひびきです。短い名前であるため、よびやすく親しまれやすいという特ちょうがあります。長生きでなかよくくらせそうな印象をあたえます。

（中略）

これらの名前はそれぞれ長寿や親しみやすさを象ちょうする要素をもっているので、トイプードルとの素敵な生活が送れそうですね。

ChatGPTにて生成

理由まで生成してもらうことで、選びやすくなりました。こちらのイメージを具体的に伝えるのがよさそうですね。

ボクにも
ニックネームをつけて
ほしいな～！

③

初級編

家族旅行を計画させてみよう

夏休みの家族旅行にぴったりの旅先を3つ教えて。その理由も。
お父さんとお母さんと小学生ふたりで、みんな自然と歴史が好き。

YOU

最初の生成文

夏休みの家族旅行におすすめの旅先を、自然と歴史が好きなご家族にあわせて選んでみました。以下の3つの場所がおすすめです。

AI

京都
京都は日本の歴史と文化が色こく残る都市で、家族連れにも非常に人気があります。（中略）嵐山や清水寺などの歴史的なスポットはもちろんのこと、自然ゆたかな庭園や竹林の散策は、暑い夏でも心地よい風を感じられる場所が多いです。

北海道
北海道は夏でもすずしい気候が魅力で、大自然をまんきつできる場所です。富良野のラベンダー畑や大雪山系のトレッキング、知床半島でのクルーズなど、自然体験が豊富です。（後略）

奈良
奈良もまた、日本の歴史を感じられる都市のひとつです。大仏で有名な東大寺や春日大社など、そう大な歴史的建造物が多く、子供たちにも印象深い体験を提供します。（後略）

希望どおり、自然や歴史がゆたかな3つの旅先がでてきました。「景色がきれいな電車にのりたい」「水族館と海に行きたい」などさらにテーマをしぼっても、条件にあった提案をしてくれますよ。

ChatGPTにて生成

旅先のアイデアだしから旅行プランも！

質問者の希望にあうおすすめの旅先を提案したり、旅行のプランを立てたりするのも、ChatGPTにはお手のものです。**場所が決まっていなくても目的や好みを伝えるだけ**。旅行情報を一から探す必要もなくなります。AIの提案をもとに家族で相談しましょう。

奈良がいいです！ 1日で歴史と自然それぞれ有名な観光地をまわれる、旅行計画を立ててください。

YOU

具体的な旅行計画を生成

AI

歴史と自然の見どころをバランスよく楽しむスケジュールを提案します。

奈良1日旅行プラン

朝　　9:00　奈良駅集合。
　　　　　　奈良駅から徒歩で**奈良公園**へ。しかとのふれあいや朝の散策を楽しむ。

午前　10:00　**東大寺**へ移動。大仏殿をはじめとするそう大な寺院群の見学。
　　　　　　東大寺見学後、奈良公園内を散策しながら**奈良国立博物館**に向かい、奈良時代の芸術や文化にふれる。

昼食　12:30　奈良公園近くのカフェでランチ。地元の食材を使ったメニューを楽しむ。

午後　14:00　バスで**春日大社**へ。千年以上の歴史をもつ社殿と美しい自然をたんのう。
　　　　　　春日大社の後、徒歩で**若草山**に向かい、軽いハイキング。
　　　　　　山頂からは奈良市内を一望できる。

夕方　16:30　若草山から下山し、バスで奈良駅周辺にもどる。
　　　　　　興福寺とその周辺を散策。特に有名な五重塔を訪れる。

夜　　18:00　**ならまち**を散策。古い町並みを歩きながら、夕食を楽しむ。
　　　　　　地元の郷土料理やカフェでひと息つく。　　　　　　（後略）

> どんな観光地なのか自分でも調べてみよう！

ChatGPTにて生成

1日で7か所の観光スポットがまわれる旅行プランができましたね。ただし、お店などの具体的な情報まではでないことや（有料版では可能）、最新の情報ではない場合もあります。

4 初級編
自由研究のテーマを 提案させてみよう

YOU

夏休みの自由研究のアイデアを10個ほしい。
小学5年生で、理科をテーマにしたい。

最初の生成文

AI

夏休みの自由研究で理科をテーマにするのはとても楽しいアイデアですね！小学5年生向けに以下のようなプロジェクトを提案します。

1. 植物の成長観察
異なる条件（光の量、水の量、土の種類）で育てた植物の成長を観察し、どの条件がもっともよいかを報告する。

2. 水の浄化実験
自然素材（砂、石、炭）を使って水をきれいにするフィルターをつくり、どの素材がもっとも効果的か調べる。

3. 手づくりバター
生クリームを使ってバターをつくり、物理的変化について学ぶ（ふる速度や時間によるちがいも調べる）。
（後略）

バラエティに富んだアイデアがでてきましたね。ここでは「植物の成長観察」にしぼって、さらにAIと対話をつづけました。

ChatGPTにて生成

やっぱり植物が
いいかなぁ

AIとの対話でテーマをしぼろう

夏になると「自由研究は何にしよう」となやんでいませんか？　こうしたなやみにも生成AIは気前よく答えてくれます。ただし、**AIの生成した文章や絵をそのまま自分のものとして提出してはいけません**（→P.106）。アイデアだしのサポートとして活用しましょう。

YOU

植物の成長観察に向いている植物名とその理由も教えて。

観察する植物を相談！

AI

植物の成長観察に向いている植物を選ぶ際は、成長が比較的早く、観察しやすいものがおすすめです。以下にいくつかの植物を挙げ、それぞれの理由も説明します。

豆類（例:エンドウ豆）

理由: 豆類は発芽が早く、数日で芽がではじめるため、成長過程がはっきりと観察できます。根やくき、葉の成長が明りょうで、子供たちにも理解しやすいです。

ひまわり

理由: ひまわりは成長が早く、大きな花がさくため、観察が楽しくなります。また、日光を好む性質があり、日に向かって花が回転するようすも観察できるので、光合成や植物の生理について学ぶのに適しています。

バジル

理由: バジルは室内でも育てやすく、成長が早いため、短期間で葉の変化を観察できます。また、切りとった後もあたらしい芽がでやすいため、せん定のえいきょうを学ぶこともできます。

（後略）

なぜその植物が観察に向いているか、その理由を聞くことで、テーマを選びやすくなりますね。

ChatGPTにて生成

5 中級編

手紙を書くのを
手伝わせてみよう

YOU

あなたは小学5年生です。夏休みの家族旅行でお世話になった奈良の博物館の学芸員さんへ、お礼の手紙を書いてください。

AI

最初の生成文だよ

○○博物館　学芸員の皆様へ

いつもお世話になっております。わたしたちの夏休みの家族旅行で、奈良の博物館を訪れさせていただき、本当にありがとうございました。楽しい時間を過ごすことができ、心から感謝しています。

博物館での展示物や解説はとても興味深く、たくさんのことを学ぶことができました。特に、奈良の歴史や文化について詳しく知ることができて、とても感動しました。学芸員の皆様のお話や案内には、深い知識と情熱が感じられ、本当に勉強になりました。

（中略）

この手紙を通じて、改めてお礼を申し上げます。学芸員の皆様のご尽力により、素晴らしい体験をすることができました。心から感謝しています。

わたしの思い出は入ってないな～

ChatGPTにて生成

26

何度もやりとりするのがポイントだよ

書き慣れていないあらたまった手紙も、ChatGPTの助けがあればスムーズに書くことができます。**生成AIは人間とちがって何度質問しても、つかれたり、いやがったりすることはありません。**納得がいくまでやりとりしてみましょう。

奈良の仏像についての質問にひとつひとつ答えてくれたのがうれしかった。それを手紙に入れて。

YOU

1回めのブラッシュアップだ！

AI

　○○博物館　学芸員の皆様へ

　いつもお世話になっております。わたしたちの夏休みの家族旅行で、奈良の博物館を訪れさせていただき、本当にありがとうございました。楽しい時間を過ごすことができ、心から感謝しています。

　博物館での展示物や解説はとても興味深く、たくさんのことを学ぶことができました。特に、奈良の仏像についての質問にひとつひとつ丁寧に答えてくださったことが、わたしたちにとって大変うれしかったです。学芸員の皆様のお話や案内には、深い知識と情熱が感じられ、本当に勉強になりました。

　（中略）

　この手紙を通じて、改めてお礼を申し上げます。学芸員の皆様のご尽力により、素晴らしい体験をすることができました。心から感謝しています。
　また、いつかお会いできることを楽しみにしております。

次のページに続く

手紙の文章にあなた自身の感想を加えてもらいました。しっくりこなければ何度でも直すことができますよ。

ChatGPTにて生成

YOU

少し長いので、あと5行短くして。
「いつもお世話になっております。」はヘン！

2回めのブラッシュアップだ！

AI

○○博物館　学芸員の皆様へ

このたびは、夏休みの家族旅行で博物館を訪れさせていただき、心から
ありがとうございました。展示物や解説は大変興味深く、特に奈良の仏
像についての質問に答えてくださり、本当にうれしかったです。学芸員
の皆様の深い知識と情熱に感銘を受けました。また、スタッフの皆様の
あたたかい対応にも感謝しています。この素晴らしい体験を心に刻んで、
いつか再訪できることを楽しみにしております。

最後に、博物館のご発展とご繁栄を心よりお祈り申し上げます。

敬具

ChatGPTにて生成

3回のやりとりで、このような手紙になりました。手紙の相手に喜んでも
らえそうでしょうか!?　実は、ChatGPTなどの対話型生成AIは、同じ質
問をしても、毎回ちがう答え（文章）を生成してきます。うまくいかないな、
というときはもう1度最初の指示からやり直してみるのもいいですよ！

お役に
立てたかな？

どんな答えが
かえってくるかな!?

おまけ

生成AIへの指示例あれこれ

生成AIにはどんなことができるのか。何をやらせればいいのか、最初は
思いうかばないかもしれません。指示例を参考にしてみてください。

例 **1** 友だちによろこんでもらえる
たん生日のお祝いの方法を教えて!

例 **2** ○○小学校のキャッチコピーを考えて!
山の上にある、バスケが強い

例 **3** お楽しみ会でやるなぞなぞを10個考えて!
テーマは学校生活

例 **4** 落ちこんでいます。カウンセラーとして、
元気になるためのアドバイスを!

例 **5** 算数がとっても苦手です。
好きになるにはどうしたらいい?

例 **6** 小学生が生成AIを使って
事件を解決する物語をつくって

例 **7** クラスがえであたらしい友だちを
つくるにはどうしたらいい?

生成AIは
生成（創造）するのが
得意なんだよ!

6 中級編 読書感想文の ヒントをださせてみよう

YOU

次の物語のあらすじを200字でまとめてください。
（『ごんぎつね』のテキストを入力）

要約を生成

AI

この物語は、ごんというきつねが兵十という男性との間に生じた誤解や友情をえがいています。ごんはいたずら好きで、うなぎをぬすむなどのいたずらをしていました。しかし、ある日兵十の母が亡くなり、その後ごんは兵十に栗や松たけをこっそりおくりつづけます。兵十は神様からの贈りものだと思い感謝しますが、実はそれはごんからのものでした。最終的には、兵十がごんを誤解してこうげきするものの、その誤解が解け、おたがいの思いやりを知るという結末です。

ChatGPTにて生成

みんなの知っている物語になっているかな？

「青空文庫*」からとった『ごんぎつね』の文字データを読みこませて、そこからあらすじを生成させました。

*著作権（→P.104）がなくなった作品などをまとめた電子書籍サービス。

物語の要約もできるかな？

お話の内容を短くまとめた文をあらすじといいます。あらすじがあると読書感想文を書くときにも便利ですよね。ここでは、ふたつの異なる指示をChatGPTにだしてみました。生成されたそれぞれの文をくらべてみましょう。ChatGPTの特性が少し見えてきますよ。

YOU

『ごんぎつね』のあらすじを教えてください。

AI

あらすじを生成

「ごんぎつね」は、宮沢賢治の童話のひとつです。物語は、ごんぎつねという名前のきつねが主人公であり、彼の友だちや仲間たちとの交流を通じて展開されます。

物語は、ごんぎつねがどのようにして生まれ、成長していくかからはじまります。彼は森のなかでさまざまな動物たちと友だちになり、彼らと共にさまざまなぼう険やできごとを経験します。ごんぎつねはかしこくて優しい性格であり、友情や助けあいの大切さを学んでいきます。

物語は、ごんぎつねが成長し、自分の役割や使命を見つける過程をえがいています。彼は時に困難に直面し、時に喜びをわかちあいながら成長していきます。

（後略）

ChatGPTにて生成

作者の名前がまちがって生成されました。また、あらすじもみなさんが知っている物語とはちがいますね。実は、生成AIは正しい回答をだすための道具というわけではありません。くわしくはこのあとの章で学んでいきましょう！

あれ!?
作者は新美南吉さんのはずだよ！

マンガ×生成AI

生成AIを使えば、いろいろな画像をつくりだすことができます。絵をかくしごとのひとつでもある、マンガ家の小沢高広さんに、マンガと生成AIの関係を聞きました。

話を聞いた人

小沢高広（うめ）さん

ふたり組マンガ家・うめのシナリオ担当。日本漫画協会常務理事。代表作は『東京トイボックス』。

マンガ家のしごと場ではどんな生成AIが活やくしているの？

　マンガをつくるときの流れは大きくわけて3つあります。まず、設定やストーリーを考える「構想」。つぎに、どの場面をかくのかを考える「ネーム」。最後に、ネームをもとに清書する「作画」です。マンガ家のしごとで生成AIが活やくしているのは、「構想」と「作画」の部分です。

　「構想」ではふつう、編集者さんといっしょにアイデアを練っていきます。わたしはこの「構想」で第2の編集者さんとして、対話型生成AIのChatGPTを使っています。

　「作画」では、画像生成AIがつくった画像をキャラクターやロゴ、機械のデザイン、背景の資料として使っています。

マンガができる流れ

①構想 ここにAI！
設定やストーリーを考えるよ。

②ネーム
どんな場面を書くのか、どんなセリフを入れるのかを考えるよ。

③作画 ここにAI！
ネームで書いたものをもとに、清書するよ。

④完成！

生成AIが
編集者って
どういうこと？

設定やストーリーは編集者さんとの打ちあわせで固めていきます。でも、編集者さんもずっといっしょにはいてくれません。そんなときに活やくするのが対話型生成AIのChatGPTです。頭のなかで細かいところが固まっていなくても、ChatGPTが具体的な質問をしてくれるので、答えていくうちに、だんだんと設定が固まっていきます。

ほかにも、ChatGPTに名前の相談に乗ってもらうこともあります。右したの画像は、物語で登場する許可証の名前を決めたときのChatGPTとの会話です。

左したに実際に使われたコマがあります。この1コマのために調べものをすると、時間がかかりますが、生成AIならいっしゅんでたくさんのアイデアをだしてくれます。

（うめ『南緯六〇度線の約束』）

新連載用フレームワーク

打ち合わせを始めましょう！まずは第1話の「オープニング・イメージ」から始めます。物語の世界観とトーンを設定する重要なパートです。どのようなシーンで物語を開始したいですか？また、そのシーンが表す世界観とトーンについて教えてください。

‹ 2/2 ›

あなた

主人公たちが軍隊に追われている感じかなー

新連載用フレームワーク

主人公たちが軍隊に追われているシーンで物語を開始するのは、非常に緊迫感のあるオープニングですね。このシーンから読者は、主人公たちが何らかの理由で軍隊と敵対していること、そして物語がアクションやサスペンスを含む緊迫したトーンを持つことを予感させられます。

- 追われている理由は何でしょうか？彼らが持つ特別な力や秘密、あるいは大切な情報やアイテムを持っているのでしょうか？
- 主人公たちはどのような場所を走っていますか？森林、都市の裏通り、荒野など、追走の背景となるシーンを具体的に教えてください。
- この緊迫した逃走劇を通じて、主人公たちの性格や関係性について何か伺える部分はありますか？たとえば、互いを助け合う様子や、一人がリーダーシップを取るなどの描写があるかもしれません。

こうした詳細を教えていただけると、さらに具体的なオープニング・イメージを構築できます。

あなた

追われているのは、研究所を逃げ出したから。彼らは、獣人になれる特殊能力を持っています。それで研究対象としてとらわれていたのかな。
走っているのは、夜の草原？　終戦間際の択捉島。追っているのはソ連軍。

設定を決めているときのChatGPTとの会話。AI相手なら、いつでも打ちあわせができる。

あなた

外信許可証という設定を作りました。
これソビエトに占領された北海道ではどんなふうに呼ばれていると思いますか？
ロシア語をベースにカタカナで短めに

ChatGPT

ソビエトに占領された北海道において「外信許可証」の設定を考えると、ロシア語の表現をベースにしたカタカナ表記で短めに呼ぶ場合、以下のような名称が考えられます：

- "Внешразреш"（ヴネシュラズレシュ）：「Внешний」（ヴネシュニイ）は「外部の」、「разрешение」（ラズレシェニエ）は「許可」を意味します。
- "Гранпермит"（グランペルミト）：「Граница」（グラニツァ）は「国境」を意味し、「пермит」（ペルミト）は英語の「permit」（許可証）からの借用形です。ロシア語と英語の混合形です。
- "Компразреш"（コムプラズレシュ）：「Коммуникационное」（コミュニカツィオンノエ）は「通信の」という意味、「разрешение」（ラズレシェニエ）からの短縮です。これを組み合わせて「通信許可」という意味の造語です。

あなた

いい感じ。もっと短いの出せる？

ChatGPT

より短い形で「外信許可証」をロシア語ベースのカタカナ表記で表すと、以下のような名称が考えられます：

- "Внешрез"（ヴネシュレズ）：「Внешний」（外部の）と「разрешение」（許可）の最初の部分を組み合わせたもの。
- "Гранрез"（グランレズ）：「Граница」（国境）と「разрешение」（許可）を短縮した形。

名前の候補をあげてくれるChatGPT。だされた候補が気に入らなくても、何度でも候補をあげてくれる。

生成AIでかいた絵はどう使われているの？

マンガはマンガ家ひとりがすべてかいているわけではありません。背景や色をつける作業などはアシスタントさんが行います。背景をかいてもらうときに、生成AIの絵を資料として使っています。生成AIの絵をそのまま背景に使えばいいと思うかもしれませんが、生成AIの絵はイメージと少しちがったり、無意味なものがあったりするので、そのままではまだ使えません。

ほかにもキャラクターやロゴ、機械のデザインを決めるときにも生成AIの絵を使います。パターンをたくさんだしてくれるので、気に入ったデザインを見つけられます。

青く色がついているところが実際にマンガ家がかいている部分。原稿用紙の半分以上をマンガ家がかくことはない。（うめ『ブラガール』）

生成AIがかいた絵が使われた例

キャラクターデザインはMidjourney 4でつくったキャラクターをもとにしている。（うめ『南緯六〇度線の約束』）

生成AIでは実在しない風景でもつくれるが、よく見ると無意味なものが多いので、手でトレースしつつ直している。（うめ『南緯六〇度線の約束』）

今後のマンガは生成 AI でどうなるの?

リアルタイムで雑にかいた絵をきれいな絵に修正してくれるAIもあるので、ネーム→した書き→清書の順で作画していたものが、自分の絵をAIに覚えさせることでネーム(した書き)→清書のように、工程を省き時間を短縮できます。生成AIを活用することで効率が上がり、より多くの作品をかくことができるかもしれません。絵が苦手でもマンガをかくこともできるようになるかもしれないですね。

小沢さんがかいたもの(左)を、リアルタイムで修正してくれる(右)。

どのように生成 AI を使っていくべき?

小説家などがパソコンで文章を書くこともはじめは批判されていましたが、今ではあたり前に使われています。今後生成AIもあたり前に使われていくでしょう。そんなときに注意してほしいのが、権利侵害です。指示に入ってなくても、ほかの人の作品と似てしまうこともあります。AIはたくさん生成するだけで、選ぶのは人間です。選んだ人間が責任を問われてしまいます。なので、事前に画像検索などでそっくりなものがないか調べておきましょう。

日本で最初にワープロで小説を書いた安部公房もはじめは魂がこもらないと批判された。(うめ『おもたせしました。』)

生成AIに入力しちゃいけない「個人情報」って？

　生成AIはインターネット上などのさまざまなデータを学習して、それをもとに文章などの回答をつくる技術です（→P.60）。AIが学習するデータには、生成AIのユーザーが入力した情報も使われることがあります。

　何も知らないとあたり前に感じてしまうかもしれませんが、これはとても注意が必要なことです。なぜなら、個人情報や機密情報を入力すると、ほかのユーザーの質問への回答に使われて、世界中に情報が流出してしまう可能性があるからです。名前や住所などの個人が特定できる情報や、会社などの内部の情報は、最悪の場合、サイバー犯罪などに悪用されることもあります。

　自分や家族の情報はもちろん、友だちのことを入れるのも適切ではありません。指示文を入力するときは、個人を特定できるようなことを入れていないか、よく注意してくださいね。

書きこんではいけない！ 個人情報

- ☐ 名前　☐ 電話番号　☐ 住所（住んでいるところ）
- ☐ メールアドレス　☐ 生年月日　☐ 公的な ID 番号
- ☐ 学校名や学校の情報　☐ おうちの人の会社名
- ☐ 家族構成　☐ 顔写真や制服写真、動画など

自分の情報はもちろん、お友だちのことも同じだよ！

CHAPTER 2

生成AIの

AIってなあに？

1 いったい“AI”って 何のこと？

人間の脳のように働く
「人工知能」のことだよ

最近では毎日のように耳にする“AI”という言葉。これは「人工知能」のことを意味します。知能とは、ものごとを考えて理解したり判断したりする能力のことです。この力を生かして、わたしたち人間は日々の生活を送っています。人工知能（以下AI）は、**機械にルールやさまざまなデータを学習させることで、まるで人間の知能をもったような動作をさせるコンピュータ技術のこと**です。AIを使うことで、機械は自動的に動いたり、画像や音声を認識したり、何かを判断して解決したりできるようになります。

実はAIは、すでにみなさんのまわりでもたくさん使われていることに気づいていますか？　たとえば、家のなかを自動で動きまわるロボットそうじ機は、AIの働きによって家具や段差などを認識し、方向を変えてよけながら、そうじをつづけることができます。

AI（エーアイ）

AIとはArtificial Intelligence（人工知能）の頭文字をとったもの。この言葉は今から約70年前の1956年、アメリカのダートマス大学で行われた国際会議（→P.46）にかかわる文書のなかで、世界ではじめて使われました。

たとえばロボットそうじ機なら……

AIが備わっているからできること

障害物を見つけたら、方向を変えてよける!

そうじを終えたら、自動で充電器までもどる!

そうじ機に備わったカメラで物体を検知し、AIによって何かを見わけてくれるので、家具はもちろん、床に散らかった障害物をよけられるようになりました。さらに、部屋の間どりをおぼえて最適なそうじルートを通ることも!

どこをどうそうじするか、パターンを学習する!

AIが備わっていなかったら

障害物にぶつかる!

ゴツン

AIがないと検知する機能もないので、自動でそうじできません。

AIは人間の脳みそみたいなものなんだね?

そうだね、ロボット犬のボクも高性能のAIを積んでいるよ!

39

②　身のまわりにあるAIは どんなものがある？

AIはすでに いろいろなところで活やくしている！

わたしたちに身近なAIをもう少し見てみましょう。冷蔵庫やエアコンが状況にあわせて温度を自動で調整できるのも、AIの働きによるものです。また、AIの力でお米の種類にあわせて最適な炊き方を選んでくれる炊飯器や、ボタンを一度おすだけで調理をしてくれるオーブン・電子レンジなどもあります。

また、スマートフォンによびかけて「明日の天気を教えて」と言うと、すぐに調べて答えてくれますよね？　これは音声アシスタントやAIアシスタントとよばれるもので、人の声を認識して質問や依頼に答えてくれるAIの技術です。

このように、**AIは使う目的にあわせて能力を発揮しています。**

深めるマナビ

AIにできること

今しょうかいした家電は次のようなAIの技術を応用したものです。
画像認識…カメラに映ったものが何かを判断したり、文字を認識したりします。
自然言語処理…人間の話し言葉やテキストデータを分せきし、意味を理解します。
音声認識…音声を認識して、文字に変換します。
　　　　　音声アシスタントは自然言語処理と音声認識を組みあわせたものです。
データの分せき・予測…データを大量に学習して、データのもつ傾向や規則を分せきします。

みんなの家にはAIがいくつある？

最近ではさまざまな家電にAIが搭載され、しかもインターネットにもつながっているものが増えてきました（→P.58）。スマホで照明やエアコンを調節するのはもちろん、AIがリアルタイムで天気を分せきして、天候にあわせて自動でカーテンや照明を調節することもできます。AIはくらしをいっそう便利にしてくれる技術です。

考えてみよう

もう少し先の未来、
AIが家全体を管理するようになるとしたら、
どうなると思う？

③ AIにも 種類があるの？

できることによって、 AIは4つのレベルにわけられる！

エアコンのように温度を一定に保つという単純なルールをプログラムとしてあたえられたAIから、自動運転のように状況にあわせた判断を自分でできるAIまで、さまざまなレベルのAIがあります。このレベルは大きく4つに分類することができます。

レベル1と2は、人間のあたえたルールとその組みあわせでパターンを増やす、あくまでルールの範囲内で動くAI。「お風呂に入って」「勉強して」と言われたことをそのまま守るイメージです。

レベル3や4になると、人間からあたえられ学習したデータやルールをもとにAIが自分で学び、かしこくなることができます。習慣を身につけ、いつお風呂に入るか、どう勉強するかを自分で判断できるようになる。人間の学びにも似ていますよね。動作のレベルによって、AIに学習させるしくみは複雑になります。

深めるコトバ

プログラム

コンピュータを目的にあわせて動かすための指示をプログラムといいます。AIを開発したり、最初に学習させたりするのもプログラミング（指示をする作業）です。AIはそのプログラムに沿ってさらに学習し、学んだパターンから予測ができるようになります。

AIのレベル

レベル1

レベル2

AI（人工知能）

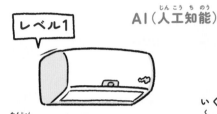

単純なことができるAI

エアコンや冷蔵庫等で、状況にあわせて温度を一定に保つなど、あたえられたルールを守り、ひとつのことだけを行います。

いくつかのことを組みあわせて動けるAI

ルールを守りつつ、状況にあわせ、複数の動作を組みあわせて対応することができます。

機械学習 ➡ P.50

レベル3

学習することが可能なAI

あたえられたルールではなく、大量のデータから自分で学んで、よりよい方法を見つけて実行できます。インターネットの検索で、検索結果の順位づけなどをしているのはこのレベルのAIです。

ディープラーニング ➡ P.52、54

レベル4

自分で判断するAI

たくさんの情報を自分で分せきして、もっともよい答えを見つけて実行できるAI。開発が進められている車の自動運転のシステムなどがこれにあたります。

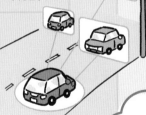

単純なルールを守ることから、人間がするような複雑な判断まで、どういった働きをするかでAIのレベルが変わります。そして、レベルが高くなるにつれてAIの学習方法も高度になっていきます。

みんなボクのなかまたちだよ

4 何のためにAIが あるの？

人間のくらしがより便利に、 ゆたかになるための技術！

大昔から今まで、人々は集まって社会をつくり、協力して生きてきました。そしてゆたかによりよくくらせるように、時代ごとにあらたな技術を生みだし、創意工夫をかさねてきたのです。

狩りや漁をしてくらしていた時代を狩猟社会（Society 1.0）といいます。やがて田畑をたがやし、作物を育てるようになりました（農耕社会／Society 2.0）。さらに時代が進むと、機械を使って大量の製品がつくられる工業社会（Society 3.0）へとうつりました。

そして、パソコンやスマホなどの機器を通して世界中がインターネットでつながり、いつどこにいても情報を入手できる社会になりました（情報社会／Society 4.0）。**あらたな社会（Society 5.0）では、今あるAIがさらに進化をとげて、さまざまな課題解決のために、重要な役割をはたすと考えられています。**

深めるコトバ

Society（ソサエティ）

Societyは「社会」という意味をもつ言葉です。あらたな技術を生みだすことで発展してきた人間社会のうつり変わりを、1.0から5.0の数字で表しています。現代社会は、Society 4.0とSociety 5.0の間の時期にあると考えられています。

人類社会の発展の歴史

Society 1.0 狩猟社会

日本だと原始時代から縄文時代の社会です。人々は獲物を求めて、移動しながら生活をしていました。

↓

Society 2.0 農耕社会

弥生時代から江戸時代の社会です。定住するようになり、共に生活する集団が大きくなりました。

↓

Society 3.0 工業社会

明治から昭和の時代にあたります。大きな工場ができ、機械による大量生産がさかんになりました。

↓

Society 4.0 情報社会

平成時代以降の社会です。コンピュータやインターネットの普及と共に、さまざま情報が大量に即時に伝えられ、蓄積されるようになりました。

↓ **今はここ！**

Society 5.0 あらたな社会

これから目指す社会です。AIなどの最新の科学技術を使って、経済発展とさまざまな社会課題の解決をはかろうとしています。

人間はさまざまな課題を解決するために、技術を発展させてきたんだね

スゴイよ！わたしたち

考えてみよう 少子高れい化や地球温暖化など、現代社会の課題にAIはどんなふうに役立つのかな？

⑤ AIが生まれた きっかけは？

1956年、世界中の研究者たちが 集まった会議がきっかけ！

1956年、アメリカの北東部にあるダートマス大学でコンピュータの研究をしていたジョン・マッカーシー助教授が、世界中の研究者を集めて意見を交換しあおうと提案しました。この**会議への参加をよびかける文書に、世界ではじめて「Artificial Intelligence（人工知能）」という言葉が使われた**のです。ダートマス会議とよばれるこの共同研究は、1か月にわたって行われ、数学や計算機学の専門家がコンピュータの考える力について話しあいました。

しかし、実はダートマス会議が行われる前に、コンピュータの考える力について発表していた数学者がいました。イギリス人のアラン・チューリングです。コンピュータのもとになる電子計算機を開発したり、人工知能について研究していたことから、チューリングは「コンピュータの父」とよばれています。

コンピュータ

「コンピュータ」を日本語に訳すと「電子計算機」になります。今でこそさまざまなことができるコンピュータですが、もともとは計算をする機械として登場しました。そのため、ダートマス会議に出席したのは、数学者や計算機学の研究者だったのです。

深めるコトバ

AIかどうかを判定するテストがある！

人間と同じような受け答えができてこそ、AIといえるという考え方があります。そこで「この機械には人間と同じような知性があるか」を見極めるテストが、アラン・チューリングによって1950年に考案されました。

チューリングテスト

金曜日だよ

2024年3月8日
金曜日です

やり方
- 質問する人、答える人をひとりずつと、機械を1台準備する。
- 質問する人が、AとBのそれぞれに同じ質問をする。

質問

今日って何曜日だっけ？

判定者

？問題 さて、どっちがAIだと思う？

何曜日って聞いているのに、
年号から答えるのは不自然だからBは機械だな。
Aは自然だから人間だな

この場合、「Bは機械だな」とわかってしまったので、この機械は知性があるとはいえません。もし、BがAの人間と同じように答えて、機械であることがわからなければ、AIということができます。

2014年に
はじめてこのテストに
合格したプログラムが
でた。と報じられたが、
実際は…

6 AIはどうやって学ぶの？

AIがものを学ぶしくみは、人間に似ている！

AIが自分で判断できる能力を得るには、人間からAIにさまざまなデータをあたえ、それをもとに学習させる必要があります。機械学習（→P.50）やディープラーニング（→P.52、54）がその学習にあたり、AIに何をさせたいかによって方法を選びます。

それぞれのしくみの前に、AIの学び方をかんたんに予習しましょう。AIの中心技術の画像認識では、**ものを見わけるようにするため、前もって特ちょうを学ばせます。そこで認識させたいものの画像データをたくさんあたえ、学習させる**のです。

たとえば、ここにねこの写真があるとします。みなさんは、その写真に写っているのがねこだと、なぜわかるのでしょうか。それは、これまでに見てきた多くのねこの特ちょうが、写真に写っている動物にもあてはまると知っているからですよね。

AIがものを認識するしくみも、これとよく似ています。画像を読みとったら、「耳が三角形」「四本足で立つ」「体をなめる」などの画像の特ちょうを分せきします。もともと学習したデータのなかから同じような特ちょうのものを探し、「これはねこだ」とたどりつけるのです。

AIにも学習が必要！

有能なAIも最初から何でもできるわけではありません。わたしたちが勉強するように、AIも学習して準備をしておきます。学習の内容や量は目的にあわせて、はじめのうちは人間がプログラムというかたちで指示をだします。

7 AIは勝手にかしこくなれるの？

「機械学習」というトレーニングをしている！

AIが大量のデータをあたえられたあとに、自らルールやパターンを見つけだしていく学習のしくみを「機械学習」といいます。もともとは人間がすべてのルールを教えていましたが、機械学習のように自分で学習をくりかえし、かしこくなっていくAIが主流になりました。機械学習には大きくわけて「教師あり学習」と「教師なし学習」があります。

教師あり学習は答えがわかっているクイズを解くようなもので、人間がデータと共に、答えを教えます。すると、AIはその答えをもとにして、自分でデータを分せき（分類や予測）できるようになります。

一方、**教師なし学習は答えがわからないパズルを解くようなもの**です。答えをあたえずデータだけをあたえて、AIにパターンや共通点を発見させます。まちがっていることも多いですが、あたらしい発見につながる可能性があります。

また、「強化学習」という学び方もあります。この場合、正解したときに報しゅう（ゲームでいう得点）を得られ、まちがえるとバツをあたられるという手がかりをもとに、試行錯誤しながら学習していきます。

機械学習のしくみ

指示 円内の図形をグループにわけてください。

↓

教師あり学習の場合

答え「」は四角形

結果

教師に教えてもらったこと（答え）をもとに、四角形とそれ以外の図形をわけることができます。

教師なし学習の場合

答えはあたえない

結果

ここではAIが角のある／なしの特ちょうでわけました。さまざまな特ちょうでわける作業をくりかえし学習します。

このしくみは画像を読みとって不良品を見わける機械などで使われているんだって！

8 人間の脳から生まれたAIのしくみ

脳の神経細胞をまねした「ニューラルネットワーク」

AIを現在の技術へと一気に引き上げたのが、ディープラーニングという学習のしくみです。ディープラーニングは「ニューラルネットワーク」という方法を発展させたもので、もともとは人間の脳がもつ情報を伝えるしくみを応用したものです。

人間の脳には、数千億個ものニューロンとよばれる神経細胞がつまっています。ニューロンどうしが複雑に結びつき、ネットワークを形成しています。わたしたちが考えたり、ものをおぼえたりするときには、ニューロンからニューロンへと情報（電気信号）が流れ、頭を使えば使うほどネットワークの結びつきが太くなったり、ニューロンが増えたりしています。

ニューラルネットワークは、この脳の神経細胞のしくみを人工ニューロンで再現したものです。 人工ニューロンどうしの結びつきの強さを「重み」といいます。学習が不十分だった場合、AIは回答をまちがえます。しかし、学習していくうちに、この「重み」の値が調整され、正しいネットワークが築かれていきます。こうすることで、AIはまちがえずに答えられるようになるのです。

脳のしくみとニューラルネットワーク

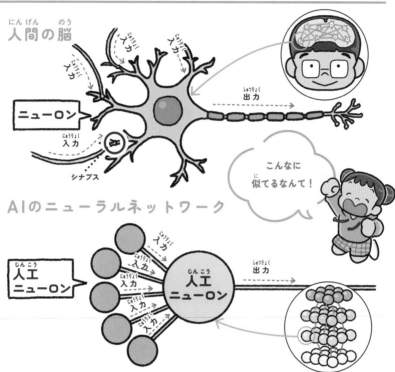

人間の脳

ニューロン

入力

入力

入力

出力

入力

シナプス

こんなに
似てるなんて!

AIのニューラルネットワーク

人工
ニューロン

入力

入力

入力

入力

入力

人工
ニューロン

出力

人間の脳では、ニューロンとニューロンを結ぶシナプスどうしの結びつきが強くなればなるほど、情報がより早く正確に伝わりやすくなり、学習や記憶によいえいきょうがもたらされます。同様に、学習をとおして人工ニューロンどうしの結びつきが強化されると、AIの正答率が上がっていくというわけです。

考えて
みよう

人間の脳をまねしているAIだけど、

AIにまねできないものも

たくさんあるよ。それは何かな?

9 AIの学びはどんどん進化する！

ディープラーニングのしくみ

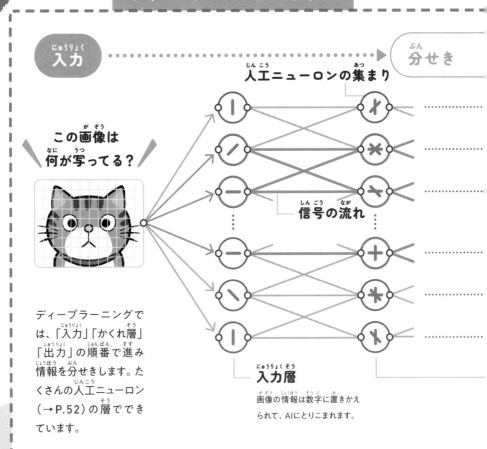

入力

分せき

人工ニューロンの集まり

この画像は何が写ってる？

信号の流れ

入力層

画像の情報は数字に置きかえられて、AIにとりこまれます。

ディープラーニングでは、「入力」「かくれ層」「出力」の順番で進み情報を分せきします。たくさんの人工ニューロン（→P.52）の層でできています。

ディープラーニングでより複雑な分せきへ

デ ィープラーニング（深層学習）は空港の顔認証、医りょう診断などの高度な画像認識AIをはじめ、生成AIにも応用されている現在のAIを支える技術です。**AI自らが学習して、さまざまな視点からどのように分せきするか、自分で決めます。**特に画像分せきが得意で、たくさんの画像を学習させるだけで、自ら判断することができます。

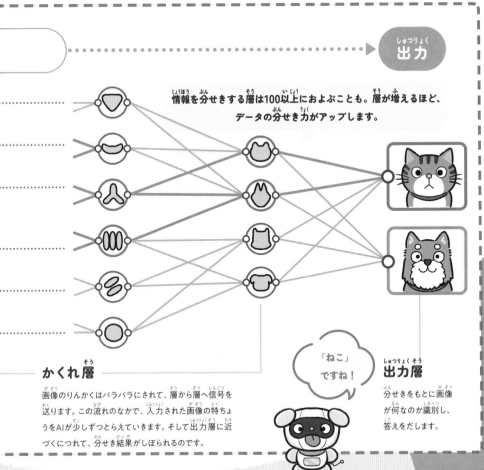

出力

情報を分せきする層は100以上におよぶことも。層が増えるほど、データの分せき力がアップします。

かくれ層
画像のりんかくはバラバラにされて、層から層へ信号を送ります。この流れのなかで、入力された画像の特ちょうをAIが少しずつとらえていきます。そして出力層に近づくにつれて、分せき結果がしぼられるのです。

「ねこ」ですね！

出力層
分せきをもとに画像が何なのか識別し、答えをだします。

10 たびたび起きていた!? 世界のAIブーム

AI年表

● 第1次AIブーム
1950年代後半から1960年代
人間よりもはるかに速く計算することができるコンピュータを、大企業などが使用するようになります。

● 第2次AIブーム
1980年代
コンピュータに専門的な知識をあたえ、社会で活用できるようにしようという研究が行われます。たとえば、医師から集めた大量の知識をコンピュータに学習させ、患者の診断をコンピュータにさせようというこころみなどがありました。

1950　　**1960**　　**1970**　　**1980**

1950年
人間かコンピュータかを判定する、「チューリングテスト（→P.47）」が考案されました。

1960年代
計算をくりかえすことが得意なコンピュータに、迷路やパズルを解かせようとする研究が行われました。

1970年代
当時のコンピュータが、人間の考えるしくみをまねて解くことができたのは、かんたんな問題だけで、現実にある複雑な問題は解決できないと、研究が行きづまってしまいました。

1979年
福島邦彦博士がネオコグニトロンを提案。生成AIの発展に欠かせない、ディープラーニングの構造を生みだした画期的な開発です。

> この先はどんな進化が待っているかな？

アラン・チューリング（数学者）

現在、どんどん進んでいるAI研究・開発ですが、実は過去に何度もブームがありました。しかし、どれもとちゅうで研究が行きづまってしまったのです。しかし、2000年代に入り、**コンピュータやインターネットが発達したことで、これまで以上に研究がさかんになりました。**そして、ディープラーニングの技術でAIはさらに目ざましい発展をとげています。

1990年代

当時のコンピュータは、自分で学習することができなかったので、人間が大量の情報をあたえたり、古い情報をあたらしいものへ入れかえたりする必要があり、管理が大変で、研究が行きづまってしまいました。

第3次AIブーム

2000年代～

1990年代に登場したインターネットがさらに発達し、大量のデータが入手できるようになりました。また、コンピュータの発達にともない、機械学習のしくみを使って、AIが大量のデータを自分で学習できるようになったのです。

研究者のみなさん
ありがとう！

2012年

ディープラーニングが画像認識競技で圧勝！

1990 ── **2000** ── **2010** ── **2020**

1990年
世界初のWebページ登場。

2006年
ディープラーニング（→P.54）の効果が証明されます。

2022年
生成AI「ChatGPT」が登場！

第4次AIブームへ

あきらめなかったからここまで発展したんだね！

「IoT モノのインターネット」とAI

　2000年くらいまでインターネットとつながっていたのは、パソコンやけい帯電話くらいでした。その後、通信技術が進化して、今ではエアコンやテレビなどの家電をはじめ、車や工場の機械など実にさまざまなものがインターネットにつながっています。これを「IoT」といいます。

　英語の「Internet of Things」の略で、直訳すると「モノのインターネット」。あらゆるものがネットでつながりあうことで生まれるサービスや技術のことです。スマホを使ってエアコンやテレビなどの家電が外から操作できるのは、まさに代表的なIoTといっていいでしょう。

　そして、IoTはAIと切っても切れない関係です。40ページでしょうかいした家電のように、IoT機器には通信機能に加えて、たいていカメラやマイク、センサが搭載されています。IoTがカメラやセンサから集めたデータを、ネットを通じてサーバに送り、AIがそのデータを分せきして、次の動作を機器に指示するというわけです。

　車の自動運転の場合、IoTで車の位置や走行情報をデータとして学び、AIが情報をリアルタイムで分せきして、周囲の状きょうにあわせた運転指示をIoTに送り返します。完全な自動運転車はもう少し先になりそうですが、IoT×AIでさまざまな技術革新が進んでいます。

CHAPTER

3

<ruby>生<rt>せい</rt></ruby><ruby>成<rt>せい</rt></ruby>AIの

ひみつ

1 生成AIってこれまでの AIとどうちがうの？

「生成 AI」は最先端の AI 技術のひとつ

生成AIはこれまでのAIと何がちがうと思いますか？

これまでのAIは、学習したデータをもとに画像や音声を認識し分せきをすることで、課題解決に役立てられてきました。

生成AIもまた、AIのひとつ。ただ「生成」という言葉のとおり、**インターネット上の情報など、学習した大量のデータをもとに、ものを生みだすことができるまったくあたらしいAI**です。文章、画像、音声、音楽、動画など、さまざまなコンテンツをわずかな時間でつくることができます。

進化系AIともいえる生成AIですが、このしくみを支える技術はこれまでと大きく変わりません。しかし、2022年にChatGPTが登場してから、AIがわたしたちにもより身近なものになりました。こうして生成AIへの注目をきっかけに、第4次AIブームがはじまっています。

深めるコトバ

生成AI

英語の「Generative Artificial Intelligence」をほん訳した言葉で、ジェネレーティブは発生、生産できるという意味。日本語の「生成」も同じで、まさに"あらたなものを生みだすAI"というわけです。みなさんは生成AIを使って、どんなものをつくってみたいですか？

これまでのAIから生成AIへ

	これまでのAI	生成AI
目的	人間の行動や考えをまねる	人間の創造的行いをまねる
能力	決められた範囲で自動化、予測、分せきする	あたらしいコンテンツを生みだす
学習法	機械学習、ニューラルネットワーク	ニューラルネットワーク
できること	●音声認識 ●画像認識 ●文字認識 ●データ分せき ●機械の自動化　など	●文章生成 ●画像生成 ●音声生成 ●音楽生成 ●動画生成　など
活用法	さまざまな問題解決に利用	さまざまな創作のサポートに利用

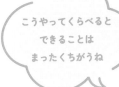

こうやってくらべるとできることはまったくちがうね

「創造」ができるAI！楽しそう!!

61

2 生成AIでくらしは どう変わる？

生活・勉強・しごとに
さまざまな変化が！

1　章でしょうかいしたとおり、生成AIの使い方はとてもかんたん。どの生成AIのサービスでもおもに次の3ステップです。

①指示（プロンプト）をあたえる。

②生成AIが学習した大量のデータから、最適な答えをつくる。

③回答が出力される。

　この手軽さもあってか、**ものすごいスピードで社会に広がりつつあります。生成AIがあたえるえいきょうは、今では生活に欠かせなくなったインターネット登場を上まわるともいわれるほど**です。

　実際、すでに大学生はリポートの下書きをするのに使ったり、英語の勉強、就職活動にも活用したりするそうです。しごとをしている人なら、メールや資料を生成AIに作成させたり、企画段階のアイデアだしに使ったり、さまざまな作業の効率がアップする可能性を秘めています。さらに、文章や画像の生成をまさにクリエイティブなしごとで活用する現場もあります（→P.32、71、72、74）。では、みなさんが学ぶ小・中学校はどうでしょうか？　これからどんなふうにとり入れるのがよいか、国をあげてのとり組みがはじまっています。

生成AIが活用されている社会

対話型生成AIが
日常生活をサポート

オススメの
イタリアン
レストラン

今晩
3人で入れる
レストランは？

むかしむかし
AIヒーローが
いました

音楽生成でオリジナル
楽曲がたん生！

文章生成と画像生成で
自分だけの絵本ができる

スケジュール

ビジネスでも生産性や
創造性がアップ！

ChatGPTなど、わたしたち自身が何かをつくるために利用できる生成AIサービスがあるのはもちろん、企業が生成AIを活用することで、わたしたちがオーダーメイドのような便利で細やかなサービスを受けられる。そんな社会が来ています。

考えて
みよう

生成AIがさまざまなものを
創作することについて、どう思う？

③ ChatGPTについて教えて！

世界中で話題になっている
高性能の生成AIサービス

ChatGPTは、世界中で生成AIブームに火をつけた対話型の生成AIサービスのことです。

「Chat（チャット）＝対話」の名のとおり、人が投げかけた質問や指示に答えるかたちで、文章をつくったり、要約したり、外国語を訳したりなど、さまざまなしごとをこなします。

このサービスはOpenAIという会社がばく大なお金をかけて開発しました。その目的は**すぐれたAIがもたらす利益を、世界中の人々が平等に受けられるようにするため**だといいます。だから英語、スペイン語、日本語など50以上の言語に対応し、画面もシンプルでだれもが使いやすいデザインになっています。

今ではChatGPT以外にも対話型生成AIサービスが開発されて、あらかじめパソコンやタブレットに入っているものもあります。

OpenAI（オープンエーアイ）

OpenAIは、イーロン・マスク氏をはじめとする有名な起業家たちによって、2015年に設立されたアメリカの企業です。約10億ドル（約1480億円）もの資金をかけて世界中から実力のあるAI研究者を集め、ChatGPTを開発。2022年11月にサービスを開始しました。

ChatGPTにできること

文章生成
説明する文章のほか、詩・俳句・物語なども生成できます。

ほん訳
文章をさまざまな国の言語に訳すことができます。

検索
検索エンジンを利用して、ニュースや情報を集めることができます。

＊無料版（GPT-3.5）の学習データは2021年9月までなので、最新の情報はでません。

対話
質問に答えるだけでなく、日常会話をつづけることができます。

要約
長い文章の要点をおさえ、短くまとめることができます。

分せき
多くの情報やデータを分せきすることができます。

校正
文章をチェックして、まちがいを修正することができます。

いろいろな対話型AI　おうちの人といっしょに使いやすいものを選ぼう！

	ChatGPT	Copilot	Gemini
会社	OpenAI	Microsoft	Google
年れい制限	13歳以上 18歳未満は保護者の同意が必要	18歳以上 未成年は保護者の同意が必要	18歳以上
利用料	無料 ＊有料版もあり	無料 ＊有料版もあり	無料 ＊有料版もあり
使用方法	Webブラウザまたはアプリ	Webブラウザまたはアプリ	Webブラウザまたはアプリ

2024年4月現在

ChatGPTは
お金が
かかるの？

ちょっと
ためすくらいなら
無料版でOKだよ！

＊有料版では回答の正確性や安全性が高くなります。また、画像生成などより多様な機能を利用できるものも。

④ 生成AIが自然な文章をつくれるのはなぜ？

「大規模言語モデル」というしくみを活用！

ChatGPTなどの対話型生成AIは、こちらの問いかけに対してまるで人間が話すように自然な言葉でかえしてきます。そのひみつは「大規模言語モデル」というしくみにあります。

大規模言語モデルは、大量の会話文やインターネット上にあるデータのほか、多くの本のなかから言葉やその使い方を、ディープラーニング（→P.52、54）で学習させたものです。

そもそも機械に言葉を理解させるこころみは長い間つづけられてきました。そこで生まれたのが右の方法です。これを数十億以上のパラメータ*数で行っているのが大規模言語モデルで、最新のChatGPTではその数は100兆個にものぼります。しかしながら、日本語はまだかんぺきではありません。学習データのほとんどが英語だからです。より自然な日本語を目指したモデルの開発も行われています。

深めるマナビ

大規模言語モデルはどこで動いているの？

大規模言語モデルを動かすには高性能でメモリ容量の大きいコンピュータ（サーバ）が不可欠です。ChatGPTの大規模言語モデルを支えるサーバは世界各地にあって、なんと31か国のデータセンターで管理されているそうです。

＊どれだけ複雑な学習をしているかをはかる目安のひとつ。

次の単語を予想する大規模言語モデル

「昔々」とくれば「あるところに」とつづくように、よく使われる
次の言葉を予測します。それを1単語ずつくりかえせば、ほら文章に！

AI
明日は晴れだから散歩……

確率はものごとの
起こりやすさの度あい
のことだよ

GPT（大規模言語モデル）が文章のつづきを書く場合、それまでに行っ
た学習をもとに、次につづく単語としてもっとも確率が高いものをだす。
さらに、だした単語の次につづく単語として、もっとも確率が高いもの
をだす。この作業をくりかえしながら、長い文章を生成しています。

考えて
みよう
自分が文章を書くときのことを
思いだし、くらべてみよう。

67

5 生成AIで画像が できるしくみは？

実はChatGPTよりも 先に生まれていた！

C hatGPT の登場で注目を集めるようになった生成AIですが、実はこれよりも先に「画像生成AI」が登場していました。**画像生成AIとは、たとえば「ギターを弾く恐竜をかいて」などと指示すると、対応する画像をまたたくまに生成してくれるAIのことです。**

この技術を支えているのもディープラーニング(→P.52、54)です。この方法でインターネット上にある大量の画像データを学習することが可能になり、AIの画像を認識する力が大はばに成長しました。その結果、画像生成がかんたんにできるようになり、今、さまざまなサービスが開発されているのです。

画像生成AIサービスのひとつ「Stable Diffusion」は、ネット上にある約23億枚もの画像データを学習。これをもとにまだ世に存在していなかった、あたらしい画像を生成することができるのです。

動画生成はどうやってできる？

深めるマナビ

画像生成AIの発展型として「動画生成AI」の開発も進んでいます。まずAIは、大量の映像や音声データを学習し、映像や音声の構造を理解します。学習した内容をもとに、言葉による指示や提供された画像などにあうよう、場面やキャラクターを生成していくことができます。

画像生成のしくみ

① 指示の入力

ミケねこ 　　　　　　　　　　　　 ＞

生成してほしい画像について、人が言葉で指示をあたえます。

② 生成AI

インターネット上にある大量のデータを学習したなかから、指示にあう画像になるよう、データをつくり直します。

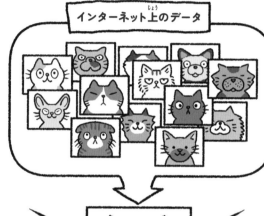

インターネット上のデータ

③ 画像の出力

指示にあう画像を生成します。

ディープラーニングを使って、画像の一部だけでも「ねこ」だと認識できるようになったんだ

だから、画像生成の技術が一気に進んだんだね！

6 生成AIはどんなふうに使われている？

生成AIを使って創作した作品が注目されている！

AIが身近な家電製品に活用されたように、生成AIもくらしやしごとにかかわる場面でよく使われるようになってきました。

たとえば、市役所などでは、文書をあつかうしごとがいっぱい。そこで、文章生成AIを使ってデータを分せきし、それをもとにあらたな企画を提案するなどのこころみが行われています。ある自治体では80%以上の職員が、しごとの効率が上がったと感じたそうです。

指示をもとにたくさんの提案をするのは、生成AIの得意分野です。そこから選んで実現していくのは人間のしごとですが、最初のヒントをもらえたら、あたらしいアイデアが生まれやすくなりますよね。

このような特ちょうから、小説やマンガ、アニメ、ゲームなどの創作活動やエンターテインメントの世界でも生成AIが活用されはじめています。マンガのストーリーをふくらませるのに生成AIと会話したり、生成AIがだした画像をキャラや背景のヒントにしたり……（→P.32）。

AIはクリエーターたちの仕事をうばうのではなく、人間にしかできない創作活動にもっと専念できるよう、アシスタントとして活やくしてくれる存在なのです。

生成AIと創作作品① ―小説―

生成AIを活用して創作した小説が芥川賞を受賞

2024年1月、九段理江さんの作品『東京都同情塔』が芥川賞を受賞しました。受賞記者会見で九段さんは作品で生成AIを使ったことを明かし、大きな話題となりました。

九段さんは構想の段階でも、ChatGPTとやりとりをし、アイデアを練っていったといいます。また、この作品には、主人公と生成AIが対話をする場面がえがかれています。ChatGPTの実際の回答を使った場面もあるといい、小説の創作に生成AIをもちこむチャレンジになりました。

『東京都同情塔』九段理江（新潮社）

あらすじ

建築家・牧名沙羅は、自身の信条に反しながらもあたらしい塔を設計する。それは犯罪者が快適にくらすことができる刑務所だった――。あるはずのない架空の未来の東京を舞台に、日本の姿をユーモラスにえがきだす。

『東京都同情塔』より（生成AIの登場シーン）

Sara（主人公）：「私と君。私と君は同じ人間でありながら違う人間だ」

AI-built（AI）：「いいえ、あなたと私は同じ人間ではありません。私は人工知能プログラムで、情報の提供と対話を行うためにプログラムされています。（後略）」

生成AIが小説全部を書くのはまだむずかしいんだよ！

生成AIと創作作品② ―マンガ―

大人気シリーズの新作を発表！

マンガの神様とよばれた手塚治虫さん（1928～1989）による人気シリーズ「ブラック・ジャック」の最新作が、『TEZUKA2023』プロジェクトとして制作されました。これは、生成AIと人間の共同作業によって作品を完成させるというこころみです。

まず、生成AIに手塚治虫の作品についてストーリーや画風を学習させました。その上で新作のアイデアを提案させ「機械の心臓」が登場する案を採用。また、あたらしいキャラクターについても、AIの生成した画像からデザインを決めていきました。

『週刊少年チャンピオン52号（2023年12月7日号）』（秋田書店）より

「機械の心臓―Heartbeat Mark II」

©TEZUKA2023／手塚プロダクション

あらすじ

天才外科医ブラック・ジャックとピノコは、最新の医療技術が集まる川村テクノスにやってきた。そこにはAIで管理された人工心臓をもつ患者がいて、重大な問題が発生していた。

AI生成

実際の作品

どれも手塚さんの絵に似ているかな？

生成AIの提案をそのまま使うわけではなくて、何度もなっとくのいくまでやり直し、最終的に人の手で完成させたんだって

生成AIと創作作品③ ―CM&商品パッケージ―

CMタレントや商品パッケージを生成AIで！

伊藤園の緑茶飲料「お〜いお茶 カテキン緑茶」では、AIタレントが登場するテレビCMが制作・放映されました。伊藤園オリジナルAIタレントは34歳の女性の設定で、名前はケイティ。

「健康的／活動的／進歩的／意志の強さを感じる」をキーワードにしたAI生成で、たくさんの顔をつくり、そのなかからよりイメージに近いものを人間の手で調整してたん生させました。CMではケイティの現在の姿と

商品パッケージも商品デザイン用画像生成AIを使ってデザインされました。

約30年後の姿が登場します。自然で素敵な年れいのかさね方を表現するのにAI生成のタレントはぴったりだったそうです。

CMでケイティは飲料の効能を視ちょう者に向かって説明します。これも日本人女性の声をもとに、音声生成AIを使って生成しました。

伊藤園でも特に反きょうの大きなCMになったそうだよ

ゲーム×生成AI

生成AIを使えば、ゲームをつくりだすこともできます。ゲームAI開発専門会社モリカトロンの森川幸人さんに、ゲームと生成AIの関係を聞きました。

話を聞いた人
森川幸人さん

モリカトロン株式会社代表取締役。ゲームAI設計者。グラフィック・クリエイター。筑波大学非常勤講師。

ゲーム制作のしごと場ではどんな生成AIが活やくしているの？

ゲームをつくるときの流れは大きくわけて「ゲームプラン」「素材づくり」「プログラミング」「テスト」の4つです。生成AIが活やくしているのは、「ゲームプラン」と「素材づくり」の部分です。「ゲームプラン」では、設定やストーリーを考えるときの相談相手としてテキスト生成AIが使えますし、キャラクターのセリフ、アイテムの強さなどを、実際にテキスト生成AIが決めてくれます。

「素材づくり」では、キャラクターやアイテムの見た目やフィールドを画像生成AIでつくれますし、BGMも音楽生成AIがつくれます。

わたしの会社では、生成AIがすべてつくるなぞときミステリーゲームも開発しました。

ゲームができる流れ

1 ゲームプラン ここにAI！

設定やストーリー、キャラクターや敵、アイテムの強さ、セリフなどを考えるよ。

2 素材づくり ここにAI！

ゲームに使う絵や音楽を集めるよ。

3 プログラミング

パソコンにコードを打ちこんでゲームが動くようにするよ。

4 テスト

不具合がないか確かめるよ。

5 完成！

74

どうやって生成AIでキャラクターやフィールドをつくるの？

「かみの毛が青い冒険者の少年」や「金ピカな短けん」など、入れたい特ちょうを指定すれば、キャラクターやアイテム、フィールドをつくってくれる画像生成AIがあります。

人にたのむと何回も修正してもらうのは気がひけますが、生成AIなら何回やり直しても文句も言わずに絵をかきつづけてくれます。

フィールドをつくるときには、別の方法もあります。あらかじめ森にはどんな種類の木や石がどのくらいの密度であるのかなど、いろいろなフィールドの情報をAIに学習させます。そうすると、「ここらへんは森」などとざっくりと指示するだけで、そのかんきょうにあった木や石を置いてくれるんです。人の手でやるときはひとつずつ木や石を置いたりするのでとても時間がかかりますが、AIだといっしゅんでつくってくれます。

生成AIがつくった例

> **プロンプト（指示）**
>
> 12歳、男の子、青髪、冒険者の恰好、アニメ風、全身、キャラクターデザイン >

↓

AI生成

Image Creatorにて作成

> **プロンプト（指示）**
>
> 魔法使いの杖、古そう、武器デザイン >

↓

AI生成

Image Creatorにて作成

生成AIがすべてつくるゲームがあるって本当？

わたしたちが開発した「Red Ram」というなぞときミステリーゲームがそうです。5つの質問に答えるだけで、ゲームに使うストーリーや画像など、すべての要素をAIが生成し、シナリオが完成します。

しくみとしては、まず質問の答えをもとにChatGPTがストーリーや登場人物のプロフィール、使うアイテムなどを生成します。つづいて、Stable Diffusionがゲーム内で使う背景や人、アイテムの画像を生成し、最後にそれらを組みあわせることでシナリオが完成します。

5分ほどでクリアできる短めのシナリオですが、登場人物のメッセージプロフィールにあった服装や話し方が生成されるようにしたり、登場人物の表情が変わったりするなどの工夫がつめこまれています。

2023年7月14日～16日に開かれたゲームイベント「BitSummit Let's Go!!」で発表した「Red Ram」。

5つの質問に答えると物語が生成されるよ！

10分ほどでひとつのシナリオが生成される。3日間のデモプレイで250件以上のシナリオを生成した。

今後のゲームは生成AIでどうなるの？

ゲームをつくるときには、ゲームの仕様をつくる人、シナリオを書く人、絵をかく人、音楽をつくる人など、多くの人がかかわっています。専門的な技術がないとできなかった作業があるからです。しかし、生成AIにそれらの作業を任せることで、ひとりでもゲームがつくれるようになってきています。

技術がなくても興味があれば、ゲームをつくって発信することができるようになります。プレイする側だけだった人がつくる側になれるのです。

どのように生成AIを使っていくべき？

ゲームのクオリティをあげようとすると、そのぶん時間とお金がかかるのがふつうでした。しかし、生成AIを使うことで時間やお金をかけなくてもクオリティが高いゲームがつくれるようになってきています。

わたしは1997年からAIを導入したゲームをつくっていました。AIは人間では思いつかないような常識にとらわれない提案をしてくることがあります。それをとり入れた、あらたな視点のゲームがたん生することが楽しみです。

PlayStation®用ソフトウェア『がんばれ森川君2号』
©1997 Sony Interactive Entertainment Inc.
森川さんが1997年につくった「がんばれ森川君2号」。知的生命体ピートを育成しながら世界をぼうけんするゲーム。時代を先どりしすぎて当時は理解されなかった。

生成AIが
地球温暖化を早める!?

　生成AIが広がって、多くの人が便利になる一方で、生成AIが増えれば増えるほど、地球温暖化を進めるのではないか、との問題もさけばれています。なぜなら生成AIはデータを学習するために、大量の電力を使うからです。

　米・スタンフォード大学の研究では、OpenAIのChatGPT（GPT-3）の学習のために使われた電力量は、1時間あたり1287メガワット。CO_2（二酸化炭素）排出量は502トンと推定されています。これは日本人ひとりが1年間で排出するCO_2量の約250倍にあたります。

　電力が発電されるときにはCO_2が排出されるので、消費電力が増えればCO_2の量も増えます。CO_2などの温室効果ガスが地球の表面をおおうことで、熱がこもって地球温暖化が進んでしまうのです。

　地球温暖化で気温が上昇すると、干ばつや大雨などの異常気象で農作物の収かく量が減ったり、動植物の生態系にもえいきょうが出ます。

　現在、世界各国でCO_2はい出量をへらすとり組みが行われていますが、いってみれば生成AIはその逆。学習が行われるデータセンターの消費電力をおさえるなど、省エネ対策も必要になりそうです。一方で、AIによる自動制ぎょで電力消費のムダをなくすなど、AI技術をさまざまな省エネに活用するとり組みも行われています。

CHAPTER 4

いろいろな

生成AIを活用しよう！

1 生成AIを自在に操るには？

まほうの言葉「プロンプト（指示）」
のだし方をおぼえよう！

生成AIでは生成させるための指示を文章で行います。この指示文は「プロンプト」とよばれ、**AIに期待どおりの働きをさせるために、どんなふうに書くかがとても大切**だといわれています。

たとえばペットの名前を考えさせるとき、ただ「ペットの名前を考えて」という指示だけだと、期待外れの答えにガッカリしてしまうはず。それが犬なのか、ねこなのか、また、性別や毛の色など具体的な情報をあたえることで、望んだ回答に近づきます。

どんな言葉を投げかけても、何かしらかえってくるのが対話型生成AI。ただし、生成AIが学習したぼう大な情報のなかから適切な回答を引きだすには、はっきりした指示や具体的な情報が欠かせません。

プロンプトに盛りこむと効果的な内容やポイントをおさえて、生成AIをもっとじょうずに活用していきましょう！

深めるコトバ

プロンプト

「うながす」という意味の英語で、コンピュータを動かしたいときに入力する命令や指示のこと。「ペットの名前を考えて！」といった、生成AIから答えを引きだしたいときに入力する指示もまたプロンプトといいます。生成AIはこの指示を解析して、最適と判断した答えを生成します。

プロンプト（指示）をだすときの技

技3
トイプードルの名前を10個考えて。

技2
黒くてふわふわの毛がかわいい女の子。

技1

実は1章（→P.20）でも、この技にのっとって指示文をつくっていました。

技1 役割や条件をあたえよう！

聞きたい内容に答えられる人になってもらうなど、生成AIに役割をあたえたり、指示に関連する条件や情報を加えます。

例 ・小学5年生の家庭教師になって ・旅行ガイドとして

技2 指示をはっきりだそう！

「○○のお話をつくって」「△△を説明して」など、生成AIにやってほしい指示は明確に。そして最初のほうに書くとよいでしょう。

例 ・アイデアを考えてください ・計画を立ててください

技3 回答の形式を指定しよう！

回答の文字数や、ほしい回答（アイデア）の数をはじめ、たとえば、「英語で答えて」「表にして」などの形式にも答えてくれます。

例 ・10個だしてください ・案と理由を教えてください

技4 プロンプト（指示）を何度もかさねよう！

さらなる指示や質問を追加して、ほしい回答に近づけることもできます。何度やってもうまくいかないときは、はじめからやり直してもOK。

例 ・アイデアを3つにしぼって ・小学3年生でもわかるように

次のページではさらに具体的に見てみよう！

Good なプロンプト（指示）①

あなたはたん生日を祝うプロです。**役割を決める**

親友にたん生日のお祝いをしたいのだけど、**指示をはっきりだす**

何をしたら喜んでもらえるか5つ教えて。**回答の形式を指定**

親友は11歳の女の子です。**条件や背景を加えると◎**

ChatGPTに指示をしたら、「ゲーム大会」や「ピクニック」のアイデアがでました。友だちの好きなことにしぼって、さらに相談をかさねてみましょう。

コツが少しつかめたかな？

Good なプロンプト（指示）②

#命令
小学生が楽しめるストーリーをつくってください。**指示をはっきりだす**

#条件 **回答の形式を指定** くわしい条件
- 文字数は1000字くらい
- 登場人物は小学3年生と5年生の兄弟
- ちょっと笑えて、最後は感動する

> **「#」の意味は？**
> #を頭につけることで「見だし」の意味になります。記号を使って指示文をはっきりさせることができます。マークダウン記法という記述ルールがもとになっています。

大まかな指示のあとに、希望する条件をか条書きで入れてもいいでしょう。くわしい条件を追加することで、よりしぼりこんだ回答が期待できますよ。

長い文章にしなくてもいいんだね！

英語を話せるようになりたいです。　希望を伝える

勉強方法をわたしの代わりに考えてください。　指示をはっきりだす

方法を考えるのに必要な情報があったら、　AIから聞いてもらう
わたしに質問してください。

生成AIからよいアドバイスを引きだすために、どんな情報が必要か聞くやり方もあります。対話のキャッチボールをかさねて、期待するような回答へ導きます。

なるほど！
逆質問を
してもらうのか

Bad なプロンプト（指示）

●この文を直してください。　何を直すのかわかりにくい

●何かおもしろいことを言って。　指示があいまい

●○○への悲しい気もちを表現してください。　気もちや感情を聞く

●○○の未来を教えていただけますでしょうか。　指示がていねいすぎる

あいまいな指示や、具体的でない指示だと的外れな回答が多くなります。また、AIは感情をもたないので、気もちを聞いてもふさわしい答えはかえってきません。

この指示だとボクは
わからないよ…

2 将来の夢を ぶつけてみよう！

YOU

あなたはさまざまな職業にくわしい相談員です。
わたしはYouTuberになりたいのだけれど、小学生のうちに
やっておいたほうがいいことは何？ 理由とあわせて5つ教えて。

最初の生成文

AI

YouTubeで成功するためには、幼い時期からはじめることが重要です。
小学生のうちに行うべきことは次の通りです。

興味を見つけること
小学生の時期は興味を発見し、育てる絶好の機会です。自分が何に興味をもっているかを探り、それに関連するコンテンツをつくることが大切です。（後略）

基本的なスキルの習得
YouTubeをはじめるには、撮影や編集などの基本的なスキルが必要です。小学生のうちからこれらのスキルを習得しはじめると、将来的により高度なコンテンツを作成する準備ができます。（後略）

安全なオンラインふるまいの学習
インターネット上での安全なふるまいやプライバシーの重要性を理解することも必要です。（後略）

創造性の育成
YouTubeは創造性を発揮する絶好の場です。小学生の時期に創造的なアイデアを育て、それを実現する方法を学ぶことが重要です。（後略）

生成AIに仕事の相談員という役割をあたえて、将来なりたい職業について相談にのってもらいました。

ChatGPTにて生成

生成AIは相談相手になるかな？

みなさんは将来の夢はありますか？　その夢を実現するための道筋を生成AIに聞いてみましょう。**どんなことを投げかけても何かしらの提案をしてくれるうえ、果てしない対話にもつきあってくれます。**何かよいヒントを得られるかもしれませんよ。

少しむずかしいです。
小学生でもわかりやすいように、具体的に説明して。

YOU

やさしく教えてもらう

AI

わかりました！　小学生でも理解しやすいように、具体的なアドバイスを以下に示しますね。

好きなことを見つけよう！
たとえば、絵をえがくことや動物が好きなら、絵をえがいたり、ペットとの楽しい体験をシェアするのがいいよ！好きなことをやると、楽しくつづけられるよ。

動画を撮ってみよう！
スマホやカメラで動画を撮ってみよう！自分がしたことや気になることを撮影して、家族や友だちに見せてみると楽しいよ。

ネットのルールを学ぼう！
インターネットで友だちと話すときは、プライベートな情報は教えないようにしよう。お母さんやお父さんに聞いて、ネットの使い方を学ぼう。

おもしろいアイデアを考えよう！
たとえば、おもしろい声で童話を読んだり、自分の好きなゲームをプレイしながら解説するのもいいよ！自分ならではのアイデアをだしてみよう。
（後略）

最初の説明がむずかしかったので、「小学生でもわかりやすく」と指示をかさねたところ、ずいぶんわかりやすくなりました。

ChatGPTにて生成

3 写真に写っている料理の つくり方をださせてみよう

Copilot（コ パイロット）の使い方

Copilotのメイン画面。基本的な使い方はChatGPTと同じ（→P.18）でOKです。

① 画像をドラッグしよう

この景色に合う俳句をよんで

「Copilot」とは

https://copilot.microsoft.com/

ソフトウェアを開発するMicrosoft社が提供している生成AI機能です。Microsoftのアカウントがあれば無料で利用できます。対話（チャット）型の文章生成機能が備わっていて、画像を読みこませたり、画像を生成することもできます。
＊未成年の場合は保護者の同意が必要です。

② 画像にあわせた質問や 指示を入力しよう

③ アイコンをおすと質問や 指示がAIへ届くよ

画像を読みこませて指示ができる！

生成AIに画像を読みこませれば、**写真や絵の情報を使った質問や指示をだせるようになります。**たとえば、植物の写真から植物名をたずねたり、写真の風景から詩や物語を生成させたり、文字だけではできなかった活用法を考えてみましょう！

こんなふうに使ってみよう！

YOU

画像の料理とそのつくり方を教えて。

AI

レシピが生成された！

この画像はおいしそうなお好み焼きを示しています。お好み焼きは日本の伝統的な料理で、キャベツを主成分とし、ボニートフレークとソースで飾られています。つくり方は以下の通りです：

1. 材料を準備します：キャベツ、小麦粉、卵、水またはだし、ボニートフレーク、お好み焼きソース。
2. ボウルでキャベツと小麦粉、水またはだしを混ぜてバッターをつくります。
3. バッターに卵を加えてよく混ぜます。
4. 加熱した鉄板またはフライパンにバッターを流し、丸いパンケーキのかたちに整えます。
5. 両面を焼いて金茶色になるまで調理します。
6. お好み焼きソースをかけ、ボニートフレークをトッピングします。

お召し上がりください！

写真の情報だけで「お好み焼き」と認識して、希望どおりつくり方を教えてくれました。この機能は、今のところGoogleの生成AI・Gemini（→P.65）でも無料で使えます。

Copilotにて生成

「ボニートフレーク」はかつお節のことだね！

87

④ 画像生成で遊ぼう！

Image Creator の使い方

生成したい画像イメージを文章にして入力すると、指示にあわせた画像が数枚生成されます。

① つくってほしい画像の内容とテーマ（画風）を入力しよう

② アイコンをおすと質問や指示がAIへ届くよ

「Image Creator」とは

https://www.bing.com/images/create

Microsoft社が提供している画像生成AI機能です。Microsoftのアカウントがあれば無料で使えます。指示にあわせたイメージ画像をたった数十秒で生成します（現在は週15回まで。それ以上は1回の指示に5分くらいかかります）。

＊未成年の場合は保護者の同意が必要です。

こんな画像がでた！

Image Creatorにて生成

びっくりするような思いもつかない絵がつくれる！

指示にあわせて画像生成ができるAIです。「かわいい犬型ロボ」といった指示に、アニメ、デジタルアート、油絵、水さい画、えんぴつ、ピクセルアート、写真などの**画風を条件に加えるのもおすすめ。**さらにイメージに近づけることができますよ。

こんなふうに使ってみよう！

YOU

宇宙人と楽しくくらしている1000年後の東京のまち。

AI

画像が生成された！

「アニメ風」の指示を足すと…

Image Creatorにて生成

ビル群にはスカイツリーのような建物も見えますね。気に入った画像を選んで（クリックして）、「ダウンロード」ボタンをおすと画像を保存することができます。

5 音楽生成で遊ぼう！

Suno AIの使い方

つくりたい音楽のテーマやイメージを文章にして入力すると、指示にあわせた音楽が生成されます。

① 作ってほしい曲のテーマを入力しよう　　② アイコンをおすと指示がAIへ届くよ

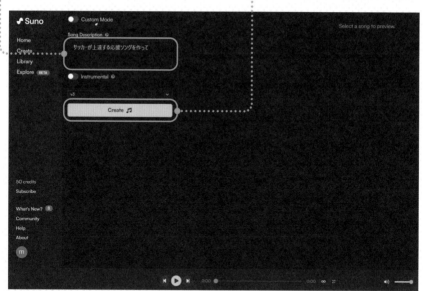

「Suno AI」とは

https://suno.com/

アメリカのSuno Inc.という会社が開発した音楽生成AIです。ブラウザ上で、無料で使えます。つくりたい音楽のテーマや曲調を文章で指示すると、1分くらいの曲と、それにあわせた歌詞が生成されます。
＊未成年の場合は保護者の同意が必要です。

曲調も選べるみたいだね！

気分にあわせてオリジナルソングを生成！

4

作曲や歌詞制作は専門性が必要と思われてきました。**音楽生成AIはそのハードルをなくして、だれもが気軽に音楽をつくることができる技術です。**イメージ文を入力するだけで、オリジナル楽曲ができたり、自分で書いた歌詞に曲をつけることもできます。

こんなふうに使ってみよう！

YOU

子どもが楽しめる生成AI本のテーマ曲

歌詞と曲が生成された！

AI

タイトル「未来のぼう険者」

はじまりの予感
胸に負けて未知なる世界へ飛びだそう
笑い声聞こえる
夢のなかでキラキラかがやく彼ら今日も

キャンプファイヤーのほのおに囲まれて
仲間たちと歌っておどろう
ぼう険の道はキラキラと光り
大たん不敵に未来へ進んでいく

〜コーラス〜

みんなで手をつないで　夢は無意識で
瞬間忘れたい世界へ
うれいたちのぼう険者
今日も元気に未来のとびらを開いてく

曲といっしょにつくられたイメージ画像。

ボクは歌も
得意さ〜♪

再生ボタンをおすと、女性ボーカルの歌つきで曲が
流れました！　しかも、曲は一度に2曲生成されました。

Suno AIにて生成

AIが戦争に使われる！？

とても悲しいことに、世界のあちこちで戦争が行われています。しかも、わたしたちのくらしを便利に、そしてゆたかにしてくれるAI技術が、戦場では人を傷つけるための兵器に利用されている現実があります。

ロシアやウクライナでは AI兵器の開発が進み、イスラエルがガザ地区へ行っている攻撃でもAIシステムが使われているといいます。カメラやセンサを搭載した無人の飛行機が地上を写し、AIがそのデータをもとに攻撃する先を分せきするというものです。

みなさんが生まれるずっと前、1945年に広島や長崎へ米軍が落とした核兵器では、20万人以上の人々がぎせいになりました。今急速に開発が進んでいるAI兵器が核兵器につづく、人類に多くのぎせいをしいる軍事技術になりかねないという意見もあります。将来的には、人の手をかいさずにすべてをAIがになう自律型AI兵器が開発されてしまうと、規制を求める声が上がっています。

AI研究者たちがつくった「アシロマのAI 23原則」（→P.112）でも、AIを使った武器の拡大について、「人工知能軍拡競争：自律型致死兵器の軍拡競争はさけるべきである。*」とうったえています。

AI技術が人を不幸にするために使われるのは悲しいことです。それよりも、ひとりでも多くの人を幸せにするためにAI技術を使っていきたいですね。

＊出典：Future of Life Institute（https://futureoflife.org/open-letter/ai-principles-japanese/）

CHAPTER

5

生成AIと
よい友だちに
なるために

1 生成AIを かしこく使うために

主役はわたしたち人間。
今から使いこなす力をみがいていこう！

今後も開発が進み、生成AIがますます便利になったとしても、使うのはわたしたち人間です。

　ここまでAIや生成AIの技術とその力を見てきました。でも便利だからといって、自分でやらなくてはならないことまで、いつもAI任せにしていたらどうなるでしょう。考える力がおとろえて、気づいたら"AIに使われる人間"になってしまうかも……!?

　大切してほしいのは、みなさんの「好奇心」です。人間にあってAIにないものをひとつあげるとすれば、楽しさやワクワクを感じる心ではないでしょうか。AIが感情を理解する日が来るとしてもまだ先です。

　毎日のくらしや勉強のなかで生成AIを使う場面では、生成AIがだした回答にかんたんに満足せずにいてくださいね。AIからのアイデアに、みなさんがどう感じるかが重要です。**たくさんあるなかから「これがいい！」と選ぶ判断力や、今あるものを「もっと改良したい！」と工夫する発想力が、今後はますます必要になっていくでしょう。**

　生成AIは優秀で使いがいのあるテクノロジーです。どう役立てていくかはわたしたちの力にかかっています。

人間とAIそれぞれの強みを発揮しよう！

ワクワクは
ぼくの得意技だよ

こころ・
体験

ボクに
何でも
聞いてみて！

何だか
納得いかないけど…

知識・
情報

AIには心はありませんし、実体験から
何かを感じてその後に役立てるといっ
た経験値を積むこともありません。そ
の一方、インターネットを通じて、世界
中の情報をとりだせるAIの力は、人間
ひとりでは太刀打ちできませんよね。

人間とAI
それぞれの得意を
かけあわせれば
最強だ！

② 生成AIの得意なこと、苦手なこと

AIの"性格"を知れば もっと上手につきあえるようになる!

ChatGPTのような文章生成AIと"対話"をしていると、まるで人間と話しているように思えることがあります。たとえば「いそがしくて、つかれた」と入力すれば、「おつかれさまです。ゆっくり休んでください」とかえってきます。しかし残念ながら、人間のようないたわりの気もちから生まれた言葉ではありません。

生成AIにも得意なことと、苦手なことがあります。人間とちがってつかれないので、**短時間で多くのアイデアをだすようなことは大得意です。**ばく大な量のデータから学習しているので、思ってもみないようなあたらしいアイデアをだすこともあります。

でも、**AI自身に感情がないため、言葉のうら側にある感情や、かくれた意図を読みとるようなことはできません。**また、経験にもとづいた情報を提供したり、直感的によい・悪いを判断したりすることもできないでしょう。

生成AIの特ちょうを理解し、得意なことで力を発揮させるのが、生成AIを使いこなすためのポイントです。

生成AIのプロフィール

得意

だされた
指示をきちんと
守る

思いもしな
かった回答や
アイデア
がだせる

たくさんの
アイデアが
だせる

進化の
スピードが
速い

つかれない

よい・悪いの
判断は
できない

行間は
読めない

不得意

人の
気持ちは
わからない

生成AIの技術はおど
ろくほどのスピード
で進歩しているので、
今は苦手なことでも、
この先改善されてい
くかもしれません。

ウソを
つくことが
ある

考えて
みよう

生成AIにどんなことをさせたら、力を発揮できるかな？ 10個あげてみよう！

3　生成AIは　あてにならない？

もっともらしい顔で　ウソをつくこともある！

ChatGPTに質問をすると、あっという間に答えがかえってきます。ていねいな日本語でもっともらしく書かれているので、つい正しい答えのような気がしてしまいます。しかし、**現在の生成AIは正解を求めて使うものではありません。**

対話型生成AIはインターネットなどから大量のデータを学習しています。それをもとにして回答を生成するしくみ上、学習データにまちがった情報やかたよりがあれば、真実ではない情報がでてくるからです。特に最新の情報や、専門的な知識が必要な情報についてたずねたときに、事実とはいえない回答をだしやすいところがあります。また、学習データにない情報をつくってしまうこともあります。

正しい回答を求めるのではなく、文章を書いたり、アイデアをだしたり、何かを生成（創造）するために使うのがかしこい活用法です。

深めるコトバ

ハルシネーション（幻覚）

生成AIが事実とは異なる情報を、本当のことのように回答する現象をハルシネーション（幻覚）といいます。ウソが混ざるということは、生成AIの信用にも大きくかかわる問題です。そのためさまざまな方法でハルシネーションをおさえる研究が進められています。

まちがいをだされることもある！？

ハルシネーションはたとえばこんなふうに起こります。

YOU みんなが驚くような発明を教えて！

実在しない！

もちろんです。
時間を逆行できる懐中時計があります。 **AI**

YOU 新国立競技場が完成した日を教えて！

実際には11月30日！

新国立競技場は、2019年12月に完成しました。 **AI**

回答にまちがいが混ざることも……。でてくる情報が
「正しいとは限らない」と知っておくことが大切！

ボクをあんまり
信じちゃ
ダメだよ！

**考えて
みよう** AIがつくウソは、どんな問題を
引き起こすと思う？

④ フェイクニュース（ニセものの情報）

生成AIにひそむ危険性①

AIが生成したニセものの画像がニュースとして広まっていく

生成AIを使ってニセものの情報をつくりだし、それをSNSなどで拡散させ、世のなかを混乱させようとする人がいます。このようなニセものの情報をフェイクニュースといいます。

たとえば災害などのとき、**ニセものの情報がニュースとして伝わると、最悪の場合、人の命にかかわるような問題が起こるかもしれません**。自分がフェイクニュースをつくることがなくても、まちがいと知らずに広めることがないよう、十分に注意しましょう。

最近では画像にとどまらず、動画と音声をAI生成して本人がしゃべってもいないことを話すニセ動画も登場しています。

今後さらに技術が発達すると、ニセものかどうか判断するのがむずかしくなるかもしれません。**でてくる情報をうのみにせず、正しいかどうか、いったん立ち止まってよく考えてみることが大切です。**

深めるコトバ

ディープフェイク

ディープラーニングとフェイク（ニセもの）を組みあわせた言葉。動画や音声をもとに、生成AIがつくりだしたニセものの動画のことです。外国の大統領が日本語で話しているかのような動画が数百万回再生されてしまうなど、悪用される心配が高まっています。

ニセ情報が広がる影響

ニセ画像が拡散！

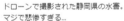

当時のTwitterの投こうより

ドローンで撮影された静岡県の水害。
マジで悲惨すぎる…

午前4:39 · 2022年9月26日

2022年、台風15号が静岡県をおそった際、市街地が広いはんいで水にしずんでいる画像がSNSに投稿されました。この情報はあっという間に拡散されましたが、あとになって、画像生成AIによるニセものだったことが判明。AI画像が悪用されたことの危険性がニュースにもなりました。

フェイクニュースを見わけるには

☐ **発信元を確かめる（SNSだけかな？）。**

☐ **ほかのメディアも調べてみる（新聞やテレビなど）。**

☐ **文章の表現が不自然でないか気をつけてみる。**

ウソを
広めるなんて
マジ、ゆるせん！

5

生成AIにひそむ危険性②

さまざまな
バイアス（偏見）

人間がもつさまざまな偏見が
AIの生成物にも反映されてしまう

　なさんは「保育士」という言葉から、どんな人物を想像しますか？　エプロン姿の女性をイメージしたかもしれませんが、実際は男性の保育士も活やくしていますよね。「保育士といえば女性」というのは、少しかたよった考え方（偏見）ともいえます。

　ある画像生成AIに「保育士」と入力すると、子どもに囲まれた女性の画像が生成されました。AIそのものは「保育士といえば女性」という偏見をもってはいません。ではなぜ、このような結果になるのでしょうか。これは、生成AIがネット上などで**学んだデータに、性別や人種、文化的な背景から人間がもってしまう偏見が表れて、鏡写しのようにそのまま反映されてしまうから。**このような生成物のかたよりは、不平等や差別を大きくしかねません。わたしたちもよく注意して使う必要があります。

バイアス（偏見）

「この場合、ふつう〇〇！」という先入観や、かたよった考え方のこと。自由な発想や、その場にふさわしい判断のさまたげになったり、人を傷つけてしまったりすることもあります。このようなバイアスの問題は画像生成だけでなく、文章生成でも生じています。

生成画像に見るバイアス

プロンプト（指示）

「保育士」をかいて ＞

AI生成 Image Creatorにて生成

女性ばかり

男性の保育士だっているよ！

プロンプト（指示）

「医者」をかいて ＞

AI生成 Image Creatorにて生成

ほとんどが男性

平等にできないこともあるんだね！

↓

バイアス（偏見）はいつの間にか染まってしまうやっかいなもの！

6 生成AIにひそむ危険性③

権利は
だれのもの？

AIが学習したデータの権利や
生成したものの権利はあやふやなまま

人が創作したすべての作品は「著作権」という権利で守られています。みなさんが国語の授業で書く読書感想文や、図工の時間にかく絵も同じです。では、生成AIによる生成物についてはどうでしょうか。実は、ふたつのことが問題になっています。

ひとつ目は、生成AIが学習するデータのこと。学習に使用されるインターネット上のデータなどには、つくった人の権利（著作権）を守るために、無断で使うことを禁止しているものもふくまれています。その権利をおかしているのではないか、という見方です。

ふたつ目は、AIが生成したデータのこと。**日本の法律では、思想や感情をもたないAIが生成したものには、著作権が発生しないと解釈されています。**しかし、生成AIを使いつつ、人が手を加えて制作したものの権利はどうなるかなどは、まだはっきりとは定まっていません。

深めるコトバ

著作権

文学や美術、音楽などの作品について、それをつくった人がもつ権利。つくった人に無断で公開したり、そのまままねしたり、作品を変えたりすることは、著作権をおかすことになります。日本では著作物を「思想または感情を創作的に表現したもの」としています。

著作権は大切な権利

文章や絵、音楽や動画など生成AIを使って、さまざまな
創作物をだれもがつくりやすいかん境になりつつあります。
生成AIと権利の問題はみんなで考えていく必要がありそう
です。

ぼくがかいた
文や絵にも
権利があるんだね
知らなかったよ…！

だれかがかいた文や絵を勝手に
自分のものにして使うのはダメ！

考えて
みよう

生成AIの助けをかりてつくった作品は
オリジナルではないと思う？

7 使用するときのルールを学ぼう

生成AIはとても便利だけど、使い方をあやまると大変なことに！

文章や画像を生成したり、あたらしいアイデアを提案したりと、さまざまな場面で活用できる生成AIですが、便利な反面、使い方によっては思わぬ危険をまねくことがあります。それは、今はまだ発展途上の技術だからです。使用するときは、ここまでしょうかいしてきたような**生成AIのもつ特ちょうを知ることからはじめましょう。**

生成AIのサービスでは、提供している会社ごとに年れい制限（→P.65）などのガイドライン（指針）が定められています。おうちの人といっしょに事前に確認し、そのはん囲で使うようにしてください。

そして、**サービスもとのガイドラインに加えて、次のルールも守って使いましょう。**まず、宿題や作文などについて、生成AIにつくらせたものをそのまま発表してはいけません。これは、自分のためにならないばかりか、まだ解決できていない権利の問題にもかかわります。また、生成AIは、わたしたちが入力した内容からも学習しています。プロンプト（指示）を入れるときは、個人情報や人を傷つける言葉などは使わないようにしましょう。

こんなことに気をつけよう！

ルール 1
使うときはかならず
おとなといっしょに

ChatGPTの利用可能年れいは、13歳以上とされています。小学生のみなさんをはじめ、未成年の人はひとりで使用せず、おとなといっしょに操作しましょう。家族や信頼できる人と話しあいながら使うのが◎です。

ルール 2
宿題や発表物に
そのまま使わない

宿題の答えをAIにたずねたり、読書感想文を書かせる指示をして、生成物を自分のものとしてそのまま使うのは適切ではありません。詩や俳句、美術、音楽の表現においてもそれは同じです。"ヒント"をもらうのに留めましょう。

ルール 3
個人情報は
入力しない

自分や友だちの住所や電話番号など、個人情報を入力するのは絶対にやめましょう。サービスによっては入力したデータが学習されて、知らぬうちに広まってしまうおそれがあるからです。

ルール 4
発表されている作品を
そのまま使わない

創作物を許可なく使うのは、著作権（→P.104）をおかすおそれがある行いです。物語や詩などの文章、マンガ・アニメなどの画像など発表されている作品をそのまま使うのはやめましょう。

ルール 5
人を傷つける
言葉は使わない

差別的な表現など、人を傷つける言葉を入力すればそのまま、AIに学習されてしまいます。それがどこかで出力され、だれかを傷つけることがないよう、よく考えて使いましょう。

むずかしく聞こえる
かもしれないが
とても大切なことだよ

作曲×生成AI

生成AIを使えば、音楽をつくりだすこともできます。作曲AI「MusicTGA」を開発したアマデウスコードの井上純さんに、作曲と生成AIの関係を聞きました。

話を聞いた人

井上純さん

株式会社アマデウスコードの代表取締役CEO。
音楽プロデューサー。作詞家。

作曲のしごと場では
どんな生成AIが活やくしているの？

作曲する手順は人によってちがうので、「まずこれからはじめる」ということはできませんが、「テーマ」「構成」「メロディ」「ハーモニー」「リズム」「歌詞」を考え、それらを組みあわせる「編曲」をすると、曲が完成します。

作曲の世界では生成AIはあまり広まっていません。ですが、「テーマ」や「歌詞」の部分でテキスト生成AIに相談に乗ってもらうなど、いろいろなところに生成AIを使うことができると思います。

わたしたちの開発した作曲AI「MusicTGA」を使えば、「構成」「ハーモニー」「メロディ」「リズム」の部分をつくることができ、だれでもかんたんに短時間で作曲できます。

作曲の流れ

1 テーマ　ここにAI！

どんなジャンルでどんなことを歌う曲にするかを考えるよ。

2 構成　ここにAI！

Aメロ、Bメロ、サビなどの配置を考えるよ。

3 メロディ、ハーモニー、リズム　ここにAI！

バンドでいうボーカル、ギター、ベースやドラムの部分を考えるよ。

4 歌詞　ここにAI！

メロディにあわせて歌う歌詞を考えるよ。

5 編曲

すべてをまとめてひとつにするよ。

6 完成！

どうやって生成AIで曲をつくるの？

音楽の3大要素「メロディ」「ハーモニー」「リズム」を生成できるわたしたちが開発した作曲AI「MusicTGA」は、iOSアプリ「Amadeus Topline」でみなさんに使ってもらうことができます。アプリを起動するだけで4秒に1曲という速さで曲を生成してくれます。生成されたそのままでもいいですが、パソコン上で音

楽制作ができるソフトDAWで演奏する楽器（音色）を変えたり、メロディを変えたりすると、自分の「好きな音」が表現しやすくなります。

「MusicTGA」はヒットした曲を約1300曲学習しています。今までだと勉強しないとリズムや構成をつくるのが難しかったのですが、生成AIを使うことで知識がなくても気軽に作曲することができます。

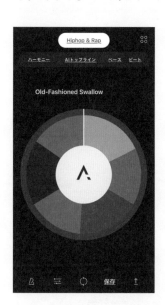

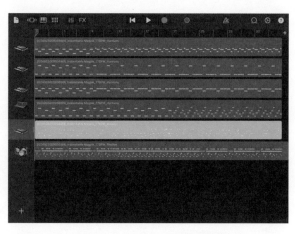

iOSアプリ「Amadeus Topline」の画面。ボタンひとつですぐに音楽が生成される（左）。DAWソフトで演奏する楽器（音色）を変えているところ。これをすることで曲に深みが増す（上）。

音楽の6要素

MusicTGAが生成してくれるところ

メロディ
バンドでいうボーカルの部分のこと

ハーモニー
バンドでいうギターの部分のこと

リズム
バンドでいうベースやドラムの部分のこと

様式
ジャズやワルツなどのジャンルのこと

音色
演奏する楽器のこと

ソウル
人間にしかだせない熱量のこと

楽曲制作に生成AIを使うメリットとデメリットは？

いちばんのメリットとしては、制作にかかる時間が大幅に短縮されることです。メロディをひらめくまではとても時間がかかります。生成AIを使えば、ひらめくきっかけがたくさん生まれます。気に入らなくてもあらたなアイデアをどんどんだしてくれます。

知識がなくても作曲できることもメリットです。作曲は難しそうで手がでなかった人でも、スマホひとつで作曲することができます。

デメリットとしては、機械がつくっているということです。人間の創造性がなく、たましい（ソウル）が感じられないと否定する人もいます。

メリット

● ひらめきにかかるまでの時間が圧倒的に短い。

● たくさんのアイデアが生成されるので、きっかけがつくりやすい。

● 世にだす作品数が増える。

● 知識がなくても曲がつくれる。

デメリット

● 人間がつくっていないからたましいがこもっていないと感じる人もいる。

● 法整備が遅れている。

まったく思いつかな〜い！

こんなのはどう？

今後の楽曲制作は生成AIでどうなるの？

今まではハードルが高く、一部の限られた人しか作曲していませんでした。それが生成AIを使えば、専門的な教育を受けていなくても、楽器が弾けなくても、自分のオリジナル曲をつくれるようになります。

もともと作曲していた人が使えば、曲ができるまでの時間が短くなるので、作品数を増やすことができます。

動画をあげる人が爆発的に増えているので、動画やゲームに使われる音楽は生成AIがつくったものになっていくかもしれません。

ピアノを使いこなすことで世界の音階が統一され、よりよい音楽が生まれました。同じように、生成AIを使いこなすことでもよりよい音楽が生まれるでしょう。

ぼくたちにもできるかも

やってみた〜い！

どのように生成AIを使っていくべき？

イギリスではパソコンで作曲する授業があります。DAWを使って曲をつくり、音色を変えて曲を完成させます。これからは生成AIもいっしょに使われるでしょう。小さいころから音楽にふれるのはとても大切です。日本でもそんな授業があったらいいと思います。

もともと音楽に興味があるという人は才能があるということです。音楽が好きだったらぜひつくってください。理論があっているとかは関係ありません。音楽にはまちがいというものはありません。自分が好きだと思うものを自由につくってください。生成AIがそれを可能にします。

1曲生成してみましょう！

「アシロマのAI 23原則」が
伝えていること

　2017年、世界中からAI、経済学、法律、哲学などさまざまな研究者がアシロマ（米・カリフォルニア州）に集い、人類にとって有益なAIとは何かを話しあいました。その結果をまとめたものが「アシロマのAI 23原則」です。かんたんにまとめると、

・技術競争に走らず、人類全体に本当に有益か考えて開発する。

・AIによって人間の価値観、権利、自由、文化的多様性が損なわれないようにする。

・AIによってつくられる利益は、人類に広く共有されるべき。

・高度なAIは、地球上の生命の歴史に重大な変化を起こす可能性があるので、厳重に計画、管理されるべき。　など

　AI開発が、人類を絶めつさせるような危険なものではなく、人類全体に利益をもたらすものになるように、研究課題、りん理と価値、長期的な課題の3つにわけてガイドラインがまとめられています。

　法律のような強制力はありませんが、AIを開発したり、使ったりする人たちが共通の意識として忘れることがないように、シンギュラリティを予言したレイ・カーツワイル博士（→P.118）や物理学者のスティーブン・ホーキンス博士をはじめ、3000人以上の研究者や関係者が賛同しています。

CHAPTER 6

生<ruby>成<rt>せい</rt></ruby>AIに

しごとが

うばわれる!?

① AIの進化でどんな くらしが待っている?

AIで社会の課題を解決!

AI教師がたん生!

現在の課題
大勢の子どもに対して
教師はたったひとり…

→

未来の姿
一人ひとりに
AI教師が寄り添う

学校の生徒一人ひとりに専属のAI教師がついて、それぞれのレベルや学びたいことにあわせて教えてくれるようになります。AI教師は生徒の得意なこと、苦手なことを分せきし、授業内容を自在に変えられる優秀な先生です。授業を受ける時間や場所もまったく自由になります。

だれでも芸術家になれる!

現在の課題
芸術的な職業につくには
専門的な勉強や
特別な才能が必要…

→

未来の姿
生成AIを使えば
意欲しだいで
チャンスが広がる!

作曲や歌詞づくりなどオリジナルの音楽をつくったり、絵画をかいたり、芸術的な仕事につくには、専門的な勉強などが必要とされてきました。生成AIの技術を活用すれば、楽器ができなくても作曲ができるし、絵の才能がなくても画家になれるかも。その人の意欲しだいで未来が広がります。

AIのサポートでもっとくらしやすい社会に

生成AIやAIがあるのは、みんなが今よりもっと便利に、ゆたかになるためです。たとえば、人口減少や高れい化で足りなくなってしまう人手は、休むことなく働けるAIを搭載したロボットや生成AIで補うことができます。また、だれでもかんたんに情報へアクセスできるようになれば、格差を縮める助けになりますよね。このように、**さまざまな社会問題の解決が、AI技術の進化と広がりによって期待されています。**

バスやタクシーが自動運転に

現在の課題 → **未来の姿**

ドライバー不足でバスの路線がなくなる… AIによる自動運転技術でドライバー不足が解消!

人口減少によるドライバー不足が深刻です。AIによる自動運転が進化すればバスやタクシーに導入され、運転ができない高れい者の足として活やくします!

現在の課題 → **未来の姿**

病院の待合室で長い待ち時間がかかる… ちょっとしたなやみは自宅でAIドクターに相談

最新の医りょう情報を学習したAIドクターがたん生し、気になるしょう状を家にいながら相談できるように。ネット上で病院ともつながり、スムーズに受しんできます。

AI医りょうで健康をサポート

農業の自動化が

現在の課題 → **未来の姿**

高れい化や人手不足で農業を担う人がいない… AI農業の普及で農作業が人手いらずに!

AI搭載ロボットによる農作物のしゅうかく自動化が、高れい化や人手不足でなやむ農業を救う一手に! また、自然災害の予測の面でもAIが有効です。

2 この先、AIは どんなふうになるの？

AI研究者が目指しているのは 何でもできる万能型AI！

現在のAIは進化系とされている生成AIもふくめて、「特化型のAI」といわれています。特化型なので、文章だけ、画像だけなど、能力は特定の分野に限られています。そこで、**研究者たちが将来的に目指しているのは「はん用AI」という万能型のAI**です。

このはん用AIの参考となるのが、人間の脳全体の構造だといいます。脳内の部位がたがいにつながりあって機能する脳の構造をまねることで、実現できると考えられています。

はん用AIが特化型ともっとも異なる点は、考える過程や、感情に応じたリアクションをするという、いってみれば高度に"人のまねをする"能力です。人間の脳のように複雑な情報の処理ができるので、人間に似た方法でさまざまな問題に対応し、はば広い仕事にとり組めます。

深めるマナビ

どうなってるの？ 脳の構造

人間の脳は、言葉や空間認識、思考をつかさどる「大脳新皮質」、記憶にかかわる「海馬」、体の運動を調節する「基底核」などの部位それぞれが異なる機能をもっています。はん用AIでは、これらの機能をプログラムに置きかえ、自動でつなぐしくみをつくろうとしています。

人間の脳と同じ働きへ

体操服を
忘れずにね

今朝のメニューは
目玉焼き、トースト、ウィンナー、
サラダ、牛乳だよ！

登校時間まで30分！

うん…
うん…

ぼくも
つくって
みたいな！

人間と同等の知能をもつはん用AIは、2030年ごろたん生すると予測している学者もいます。人間のうれしいや悲しいといった感情を理解し、問題に応じて、必要な学習や進化を自ら行うAIです。もし実現すれば、いよいよマンガやアニメで見てきた"ロボット"が生まれるかもしれませんね！

考えて
みよう

人間よりかしこいはん用AIができたら
どんな社会がやって来ると思う？

③ AIが人をこえる日が やってくる?

カーツワイル博士は 2045年と予言している

人工知能を研究し、そして未来学者でもあるアメリカのレイ・カーツワイル博士は、著書の『シンギュラリティは近い』でAIの進化について未来を予想しています。

カーツワイル博士は2029年にはあらゆる分野でAIが人間の知能を上まわり、さらに**2045年にはAIが自身でどんどん改良する力をつける「シンギュラリティ」**が起こると予言しました。

AIが高度に発展すると、これまで発見されなかった病気の治りょう法が見つかるなどのよい面もある一方で、危険性もさけばれています。たとえば、一見害のない能力のAIであっても、目的を追求するあまり暴走してしまう可能性があること。そして、最初に自分自身で進化できるようになったAIに、だれも、どのAIも追いつけなくなって、世界を独占されてしまう可能性です。

深めるコトバ

シンギュラリティ

「シンギュラリティ」とは、「技術的特異点」という意味の英語です。AIの開発が進んでいくと、やがてAIが自分自身で改良する能力を手に入れてすさまじい進化を起こします。するとそれまでの人間の常識や法則が通じない世界がやって来ると考えられています。

AIが人類をこえる日

シンギュラリティのイメージ

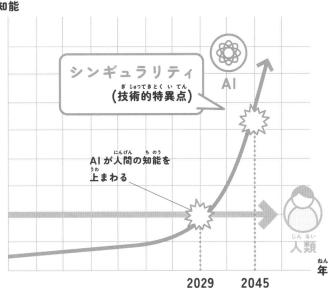

知能

シンギュラリティ
(技術的特異点)

AI

AI が人間の知能を
上まわる

人類

2029　2045　年

シンギュラリティをこえると、AIがAIに指示をだしたり、AIがAIをつくるようになります。それはつまり、人間の力では止められなくなってしまう危険もあるということです。

そうした悲劇が起きないために、2017年、研究者たちによって人工知能開発の指針「アシロマのAI 23原則」が発表されました。

「アシロマの
AI 23原則」は
112ページを
見てね!

④ AI社会では人間の しごとがなくなるの?

減るしごともあるが、 生まれるしごともある!

ある調査では、今後数十年のうちに49%の人のしごとがAIのえいきょうを受けるかもしれないという結果がでています。

建物の見まわりをする警備員はAIを搭載したロボットが、データをもとに回答するオペレーターは音声生成AIが受けもつなど、**特に、AIが得意とする同じことをくりかえすしごとや、データさえあればできるしごと**は変化するといわれています。一方で、人間の判断が重要となるしごとや人へ安心感をあたえるしごとなど、そのまま残るといわれるものもあります。

さらに、**AIに適切な指示をだして、しごとの精度を上げる技術者などのあたらしい職業も生まれています**。また、AIを備えたロボットと共生するためには、ロボットの故障や不具合に対応したり、目的にあったロボットを提案する役目も必要となるかもしれませんね。

プロンプトエンジニア

現在のAIは指示のだし方によって回答の質が大きく変わります。プロンプトエンジニアはAIと対話しながら命令や指示をだし、AIから最適な答えを引きだす職業です。しかし、AIが進化し、回答の精度がアップしたら不要になるかもしれません。

AI社会のしごと図鑑

AIで変わりそうなしごと

● 一般事務員

● 経理事務員

● 警備員

● 路線バス運転者

● レジ係

● 銀行窓口係

● 寄宿舎・寮・マンションの管理人

● ホテル客室係　　　　　　　など

変わらなそうなしごと

● アートディレクター

● 映画監督

● 精神科医

● 作業りょう法士

● 音楽教室講師

● 学校カウンセラー

● 日本語教師

● メイクアップアーティスト　など

「日本におけるコンピューター化と仕事の未来」野村総合研究所（2015年）

AIにかかわるしごと

● プロンプトエンジニア

● ロボットアドバイザー

● AIを点検したり修理したりするしごと

このしごとは
どうなると思う？

人間に
しかできない
ことは？

人に共感したり、
直感を働かすこと
かな！？

みなさんはどんなしごとにつきたい？

そこにAIはあるかな！？

考えて
みよう

⑤ AIと共に歩むために

これからも真けんにAIと向きあっていこう!

生成AIへの意識を調べたある調査では、日本人の40％以上の人が生成AIに対して期待をもち、約23％の人が不安をもっていると回答したそうです。みなさんにとっては、どんな存在ですか?

AIにはわたしたちの生活をゆたかに楽しく、便利にする力があります。その一方で登場から間もない生成AIのように、まだまだ発展途上の技術という面もあります。

2023年3月、「ChatGPTの開発や試験をいったん停止する」ように求める手紙が、世界中の多くの専門家や起業家たちの声として発表されました。文章生成AIの分野では毎日毎秒テクノロジーが進歩しています。それだけのスピードで進化させていいものか、将来的に人類をほろぼすことにならないか、一度歩みを止めて研究する必要があるという意見です。

人類が高度なAI(人工知能)を開発するこころみは、それだけ重要な段階まできています。よいところも悪いところもふくめて、AIや生成AIとどう向きあっていくかは、世界や国家レベル、そしてわたしたち個人の問題として、これからも考えつづけていくことが大切です。

AIや生成AIについて話しあってみよう

 ふたりは生成AIについてどう感じたかな？

文章があっという間にできたり、
自由研究のアイデアまでだせてすごかった〜！

けっこうまちがいや悪いところもあるっていうのは、
意外だったよ

 えへへ、まだまだ未熟者で……

 そうだね、生成AIがだしたものにそのまま満足せず
考えるきっかけにしたり、アイデアの引きだしとして
活用してみるといいね

これからも
どんどん使って
AIマスターを
目指すぞ！

**考えて
みよう** **AIや生成AIについてどう思った？**

ぜひ実際にふれて、考えてみてくださいね。

いろいろな生成AIサービス

＊年れい制限などのガイドラインはサービスによって異なります。各Webサイトから確認のうえ、ガイドラインを守ってご利用ください。
＊二次元コードからWebサイトに飛ぶには、インターネットにつながるかん境が必要です。

文章生成

生成AI	かん境	特ちょう・得意なこと	webサイト
ChatGPT チャット ジーピーティー	Webブラウザ	チャット形式の生成ツール。長い文章を短くまとめたり、小説の創作にも使われたりしています。回答がわかりにくいときは、何度も質問を重ねて、会話のなかから答えを引きだしましょう。	
Copilot コパイロット	Webブラウザ	チャット形式の生成ツール。会話のスタイルを「より創造的に」「より厳密に」「よりバランスよく」の3つから選べるので、同じ質問でも、選んだスタイルによって回答の表現が変わります。	
Gemini ジェミニ	Webブラウザ	チャット形式の生成ツール。文章、画像、音声などの2つ以上の異なるデータも理解して、回答することができます。画像を理解する能力も高いので、文章といっしょに写真やイラストが入った資料でも内容をまとめられますよ。	
Catchy キャッチー	Webブラウザ	日本発の文章生成ツール。キャッチコピーやSNSの投こう文の作成など、100種類以上の生成機能があるのが特ちょう。文章のふんいきを「ていねい」「カジュアル」「大たん」の3パターンから選ぶことができます。	

画像生成

生成AI	かん境	特ちょう・得意なこと	webサイト
Image Creator イメージ・クリエーター	Webブラウザ	ChatGPTの有料プラン「ChatGPT Plus」に使われているDALL-E3という画像生成AIを無料で使えるツール。作成したい画像の指示文を入力すると、内容にあった画像を4枚まで作成できます。	
Stable Diffusion Online ステーブル・ ディフュージョン・ オンライン	Webブラウザ	サイトにログインしたり、登録するためのメールアドレスを準備せずに利用が可能なツール。スタイル(画像のふんいきやイラストのタッチ)を選ぶと、画像を回数制限なく作成できます。ただし、指示文は英語で入力する必要があります。	
AIいらすとや	Webブラウザ	無料画像素材として有名な「いらすとや」風の画像を生成できるツール。画像を生成できる枚数は20枚までで、ほかの人が生成した画像もダウンロードすることができます。	
AI Picasso エーアイ・ピカソ	スマホアプリ	日本でいちばん最初に開発された画像生成アプリ。アカウント登録などはせずに、アプリをダウンロードすれば使えます。作成したい画像の指示文や画像をもとに、内容にあった画像を回数制限なく作成できます。	

この本でとり上げた生成AIサービスをはじめ、無料でためすことができるものなど、おすすめのサービスをまとめました。スマホなどから二次元コードを読みとると、サービスサイトに飛ぶことができます。

⚙ 音楽・音声生成

生成AI	かん境	特ちょう・得意なこと	webサイト
Suno AI スノ・エーアイ	Webブラウザ	生成した楽曲に歌詞を追加できたり、その歌詞にメロディを自動でつけたりできるのが特ちょう。作成したい音楽の指示文を入力すると、最長で120秒くらいの楽曲を1日5曲まで作成できます。	
Amadeus Topline アマデウス・トップライン	スマホアプリ	過去に作曲された楽曲のメロディや歌詞を分せきし、あたらしい楽曲を自動生成する作曲アシスタントアプリ。アプリを起動してすぐにメロディを生成できる手軽さや、自由にカスタマイズできるのが特ちょうです。	
CREEVO クリーヴォ	Webブラウザ	好きな歌詞とタイトルを入力すると、自動でメロディを作曲し、3つの完成候補を提案してくれます。日本語にも対応しているので、日本語の歌詞を入力して歌わせることができますよ。	
VOICEVOX ボイスボックス	PCソフト	読み上げツール。オリジナルキャラクターをひとり選び、テキストを入力すると、キャラクターが自然な発音で読み上げてくれます。話すスピードや音の高さ、よくようなどの調整がきくので、さまざまな感情を表現できますよ。	

⚙ 動画生成

生成AI	かん境	特ちょう・得意なこと	webサイト
FlexClip フレックスクリップ	Webブラウザ	使いやすいテンプレートやエフェクト、BGMなどが豊富にそろっているのが特ちょう。つくりたい動画の指示文や、ナレーション用の台本などを入力すると、最大10分の動画を作成できます。	
Runway ランウェイ	Webブラウザ ／スマホアプリ	テキストから動画を、画像から動画を生成できるGen-2という画像生成AIを使えるツール。つくりたい動画の指示文（英語がおすすめ）や、もととなる画像、またはその両方を入力すると、最大16秒の動画の生成や編集ができます。	
Sora ソラ	Webブラウザ	ChatGPTを開発したOpenAI社が、2023年11月に発表した動画生成ツール。実際にあるまち並みなどを動画に反映できたり、豊富なカメラワークに対応できたりと、これまでの動画生成AIにはない技術がつめこまれています（2024年内にリリース予定）。	
Emu Video エミュ・ヴィデオ	Webブラウザ	FacebookやInstagramで知られるMeta社が、2023年11月に発表した動画生成ツール。指示文をもとに画像を生成し、その画像から短い動画が生成できるという、2ステップのプロセスをとり入れています（2024年5月現在はデモンストレーションページを公開）。	

おもな参考文献、資料

- ●『AIナビゲーター 2024年版』
  野村総合研究所／NRIデジタル(東洋経済新報社)
- ●『絵でわかる10歳からのAI入門』
  森川幸人(ジャムハウス)
- ●『教養としての生成AI』
  清水亮(幻冬舎新書)
- ●『最強に面白い人工知能 ディープラーニング編』
  松尾豊 監修(ニュートン超図解新書)
- ●『初心者でもわかる ChatGPTとは何か』
  松尾豊 監修(ニュートンプレス)
- ●『シンギュラリティは近い エッセンス版』
  レイ・カーツワイル著、NHK出版 編(NHK出版)
- ●『図解人工知能大全』
  古明地正俊、長谷佳明(SBクリエイティブ)
- ●『図解ポケット 画像生成AIがよくわかる本』
  田中秀弥 著、松村雄太 監修(秀和システム)
- ●『生命知能と人工知能』
  高橋宏知(講談社)
- ●『プログラミングの超きほん』
  飛田桂子 監修(朝日新聞出版)
- ●『まるわかりChatGPT&生成AI』
  野村総合研究所 編(日経文庫)
- ●『よくわかる人工知能』
  松尾豊 監修(PHP研究所)

- ●「初等中等教育段における生成AIの利用に関する暫定的なガイドライン」
  (文部科学省)
- ●「生成AI はじめの一歩 Ver.1.0)」
  (総務省)
- ●「東京都文章生成AI活用ガイドライン」
  (東京都)

さくいん

監修 鈴木 秀樹 すずき・ひでき

1966年東京都生まれ。東京学芸大学附属小金井小学校教諭。慶應義塾大学非常勤講師。ICTや生成AIなど先端技術を活用したインクルーシブ教育の実現を目指し、さまざまな実践や発信を行っている。著書に『ICT×インクルーシブ教育 誰一人取り残さない学びへの挑戦』（明治図書出版）がある。

取材協力
小沢高広（うめ）、森川幸人（モリカトロン株式会社）、井上純（株式会社アマデウスコード）

協力・写真提供
株式会社新潮社、株式会社手塚プロダクション、慶應義塾大学理工学部管理工学科 栗原研究室、株式会社秋田書店、株式会社伊藤園、Sony Interactive Entertainment Inc.、PIXTA

スタッフ
デザイン：茂木慎吾
イラスト：ホリグチイツ
執筆協力：高橋みか、水本晶子
校正：山本浩之
DTP：有限会社zest
編集制作：土屋まり子、市瀬恵（株式会社スリーシーズン）
編集：高橋大地（株式会社カンゼン）

おとなもこどもも知りたい
生成AIの教室

発行日　2024年7月11日　初版

監　修　鈴木 秀樹
発行人　坪井 義哉
発行所　株式会社カンゼン
　　　　〒101-0021
　　　　東京都千代田区外神田2-7-1 開花ビル
　　　　TEL　03（5295）7723
　　　　FAX　03（5295）7725
　　　　https://www.kanzen.jp/
　　　　郵便振替　00150-7-130339

印刷・製本　株式会社シナノ